Variations sur un même « t'aime »

Variations sur un même « t'aime »

Angèle Delaunois

Dominique et Compagnie

Données de catalogage avant publication (Canada)

Delaunois, Angèle

Variations sur un même « t'aime »

(Collection Échos)
Pour les jeunes de 12 à 14 ans.

ISBN 2-7625-8782-4

I. Titre. II. Collection.

PS8557.E433A7 1997   jC843'.54   C97-940908-X
PS9557.E433A7 1997   PZ23.D44Aa 1997

Conception graphique de la couverture: Flexidée
Illustration de la couverture: Geneviève Côté
Infographie de la couverture: Jean-Marc Gélineau
Mise en page: Jean-Marc Gélineau

Dépôts légaux: 3e trimestre 1997
Bibliothèque nationale du Québec
Bibliothèque nationale du Canada

ISBN: 2-7625-8782-4   Imprimé au Canada

10 9 8 7 6 5 4 3 2

Dominique et Compagnie
Une division des éditions Héritage inc.
300, rue Arran, Saint-Lambert (Québec) J4R 1K5
Téléphone: (514) 875-0327
Télécopieur: (514) 672-5448
Courrier électronique: heritage@mlink.net

Le Conseil des Arts | The Canada Council
du Canada | for the Arts
depuis 1957 | since 1957

Nous remercions le Conseil des Arts du Canada de l'aide accordée à notre programme de publication.

Ne ferme pas trop tôt le livre
Les fleurs n'ont pas fini de vivre.

Gilles Vigneault
Le livre

L'amour tient une grande place dans notre vie. On lui doit les instants les plus doux mais aussi les plus difficiles à vivre. Filtre rouge qui sait se teinter de nuances multiples, l'amour a bien des visages.

Nous savons tous que l'amour ne s'exprime pas seulement dans l'élan passionné qui unit deux personnes. C'est aussi l'amitié, la tendresse, la compassion, le sentiment profond d'avoir trouvé un sens à sa vie ou encore le bonheur que procure une découverte émotive intense. Il est tout aussi vrai que l'amour a ses côtés sombres, ceux qui provoquent la souffrance mais qui, par comparaison, nous aident à apprécier ses côtés lumineux. C'est la trahison, le chagrin de perdre ce qu'on aime ou encore la haine qui est l'envers même de l'amour.

Toutes les histoires qui suivent m'ont été inspirées par des personnes que j'aime ou des événements réels. Dans certains cas, un seul détail m'a servi de guide. Dans d'autres, l'histoire entière est authentique. Certaines sont un curieux mélange d'images, de personnages et de faits qui sembleront peut-être étranges ou un peu forcés. Il n'en est rien. Parfois la réalité dépasse la fiction.

Dans quelle mesure ? Voilà qui nécessite quelques confidences.

Les mots et les couleurs servent à exprimer les mêmes choses. Pour les besoins de la cause, j'ai imaginé la toile dans *L'univers de Miyuki*, mais si vous avez l'occasion d'admirer une œuvre de cette géniale et généreuse artiste, vous constaterez que je n'ai en réalité rien inventé. Sa fraîcheur et sa joie de vivre transparaissent dans tous ses tableaux. Tomber en amour avec une œuvre d'art peut arriver à n'importe qui et les réflexions de mes deux héros, Méganne et Mathieu, démontrent à quel point cette découverte peut être réjouissante. Je ne saurais trop conseiller de tenter l'expérience.

Émigrante de longue date, je suis très sensible à la détresse des nouveaux arrivants qui débarquent ici, sur une planète qui est aux antipodes de ce qu'ils ont connu, et qui essaient tant bien que mal de s'y tailler une petite place. Parallèlement, notre société engendre de pathétiques portraits de décrocheurs, des gens qui ont tout perdu, tout abandonné dans une dérive personnelle qu'ils sont seuls à comprendre. *Le Noël de Sylvestre* est l'histoire d'une rencontre imaginaire mais qui fait le constat de deux réalités : la détresse et la solitude. Le plus mal pris n'est pas celui qu'on croit.

Dans toutes les familles, il y a un « vieux » ou une « vieille » qui s'en va un peu plus chaque jour et qu'on a parfois un peu tendance à oublier. Pourtant, ils sont nos vraies racines. Ils représentent l'expérience et nous aident à savoir qui nous sommes et d'où nous venons. Lorsque j'ai écrit *Quatre-Quarts*, je pensais à une aïeule bien précise, qui a vécu une heureuse complicité avec ses innombrables enfants et petits-enfants et dont la vie sombre dans le silence. Sans être morte, elle est déjà partie. Ce texte est un hommage à son énergie, à son courage et à tout l'amour qu'elle a donné.

Café Romana est un bouleversant incident de parcours, vécu par quelqu'un qui m'est très proche. Un tel geste, si absurde, nous plonge dans l'incompréhension la plus totale. Je n'y vois qu'une leçon à tirer : celle de nous obliger à remettre en question certaines assurances et à nous interroger sur ce que nous croyons avoir acquis. Rien n'est jamais définitivement gagné.

En de nombreuses occasions, j'ai remarqué que les garçons ont plus de difficulté que les filles à exprimer leurs sentiments. Mais lorsqu'ils osent le faire, c'est comme un feu d'artifice. Voilà pourquoi le véritable héros de *Ma blonde* est une sorte de gars idéal dont rêvent toutes les filles. Un de ceux qui n'ont peur de rien et qui n'hésitent pas à poser les bons gestes, quand il le faut. Il a un visage que je connais bien. C'était aussi l'occasion de parler de la passion avec... passion, sous un angle qui n'est pas souvent abordé en littérature de jeunesse, celui du plaisir fou d'aimer. Autant avec son corps qu'avec son âme.

La musique occupe une place prépondérante dans la vie de la plupart des gens. Lorsqu'on est joyeux, on n'écoute pas la même musique que lorsque la tristesse nous habite et certains événements précis peuvent être des facteurs déclencheurs. Telle musique qui nous semblait complètement nulle auparavant prend soudain un sens profond parce qu'elle épouse exactement ce que nous ressentons. Je ne peux jamais écouter la « Sonate au clair de lune » sans repenser à un *spleen* précis, déjà lointain. C'est pourquoi, en jouant sur *Le piano de Marianne*, j'ai utilisé celle-ci dans un contexte gris, où tous les sentiments sont en demi-teintes puisque de la peine naissent aussi la sérénité et l'ouverture sensible à la beauté.

De tout ce que j'ai raconté jusqu'à présent, *Un cadeau pour Sarah* représente ce qui m'a été le plus douloureux à écrire. J'ai bien connu Marcel et Mathieu, les garçons auxquels je dédie cette histoire. Ils sont morts tous les deux du cancer, l'un à treize ans, l'autre à dix-huit. Avec un grand courage et un indicible regret de quitter la vie. J'ai fondu leurs deux histoires en décrivant la maladie de l'un et le geste de l'autre et en pensant intensément à ceux qui leur ont survécu... car l'histoire du cadeau est authentique. Je n'aurais pas pu inventer quelque chose d'aussi extraordinaire. L'histoire du rideau aussi. Et que les sceptiques soient confondus !

À l'opposé, j'ai écrit *Le roi Arthur* dans un état de grâce, de pur bonheur. Ce texte est peut-être le plus personnel. À la campagne, près de chez moi, les chevreuils batifolent dans une grande prairie.

Il y en a six. Ils ont tous un nom. Nous les reconnaissons à des détails infimes. Finette a une cicatrice en virgule sur le flanc, D'Artagnan est bien plus curieux que les autres et s'approche volontiers, Rosita mange mes fleurs et, bien sûr, le roi Arthur adore le pain sec et les pommes. Ils embellissent notre vie de famille en nous procurant une joie et une allégresse que j'ai essayé d'exprimer dans cette histoire. Les nuages, le parfum des saisons, l'équilibre fragile, la magie existent bel et bien dans ma forêt secrète.

Aïcha m'est venue de très loin. En fait, il y a eu deux Aïcha, rencontrées à des années d'intervalle. La nouvelle que j'ai racontée fait la synthèse entre ce qu'elles m'ont confié et la perte que j'ai ressentie lorsque le silence s'est imposé entre nous. Heureusement, les souvenirs ont la vie dure et la douce amitié qu'elles m'ont toutes deux inspirée m'a donné l'audace nécessaire pour aborder ce sujet délicat et ô combien actuel! Il n'est qu'à écouter les actualités à la télé ou à la radio pour comprendre à quel point bien des femmes de notre vingtième siècle finissant subissent encore le poids de la tradition, sans pouvoir dire un mot.

Les écrivains ne sont pas des êtres lointains et inaccessibles. Pour la plupart d'entre nous, notre imagination est directement branchée sur les petits et grands événements du quotidien. On ne parle bien que de ce que l'on connaît bien. Dans cette introduction, j'ai essayé de définir mon rôle. De faire la part entre la fiction et la réalité.

D'expliquer le mélange entre le côté cœur et le côté technique. J'espère ne pas avoir altéré la chimie subtile qui s'établit entre l'auteur et son lecteur mais, au contraire, puissé-je avoir communiqué l'envie d'aller plus loin.

Pour finir sur une pointe d'humour, je pourrais ajouter ceci. « Sur un même "t'aime" » est une équation bizarre. C'est la somme de plusieurs histoires d'amour, l'addition de sentiments intenses, la soustraction de quelques pulsions obscures... avec des inconnues et quelques exposants. Pas si mal pour une nulle en maths dans mon genre, non ?

Angèle Delaunois

L'UNIVERS DE MIYUKI

La séduction

Ma vie était une feuille blanche sans valeur.
Le vert m'a donné la croissance,
Le rouge l'ardeur,
Le jaune m'a appris loyauté et droiture,
Le bleu la pureté,
Le rose m'a offert l'espoir,
Le gris léger la tristesse ;
Pour terminer cette aquarelle,
Le noir m'imposera la mort.
Depuis,
J'adore ma vie
Parce que j'adore ses couleurs.

Wen Yi To (1898-1946)
Les couleurs

De la rue Bélanger à la rue Sherbrooke, c'était déjà une bonne trotte. Mais lorsque Mathieu décida de pousser jusqu'au Musée des Beaux-Arts, et encore plus loin dans l'ouest, sa balade prit des allures d'expédition au long cours.

Mathieu n'aimait que la ville, sa ville, Mont-réal, et il la connaissait par cœur. Les quartiers aux différents visages, les grandes tours miroitantes du Centre-Ville, le mystère des ruelles dans le Vieux-Port, le charme des terrasses sur Saint-Denis, le silence cossu des quartiers anglais... tout cela le ravissait. Il appartenait à cette diversité vivante et s'y sentait chez lui, parfaitement rassuré.

Comme toutes les fins de semaines, son copain Joseph était parti s'enterrer dans son trou à la campagne, juste à côté d'un étang qui fabriquait les maringouins à la tonne. Mathieu n'avait jamais très bien compris pourquoi le grand Jo bavait d'admiration pour toutes les bibittes à poils ou à plumes qu'il rencontrait. Il l'avait invité plusieurs fois mais pas question d'aller risquer un orteil dans cet enfer vert. Autant se faire une raison, il ne pouvait plus compter sur son meilleur ami pour partager ses week-ends.

Par chance, il y avait Méganne. Peut-être pas aussi importante que Joseph, mais tout de même! Méganne à la peau de chocolat qui était toujours d'accord pour fuir son balcon de la rue Saint-Dominique... Méganne aux mille tresses amusantes... Méganne qui avait toujours quelque chose à raconter, autant avec ses mots qu'avec ses grands yeux couleur café... Méganne qui n'était jamais fatiguée, contrairement aux autres filles qu'il connaissait, et qui était capable de pédaler comme une démone...

Justement, elle arrivait, Méganne. Neuf heures pile! Jamais en retard. Le sac à dos bourré de boîtes de jus de fruits et de barres granola. Impossible de la manquer sur sa bécane rouge.

La jeune fille malmena le bouton de la sonnette. Mathieu avala sa dernière bouchée de Cherrios, happa au passage sa carte de Montréal, boucla son sac banane autour de sa taille et dévala les deux étages. La porte bleue du 264 rue Bélanger se referma en claquant dans la gifle d'un courant d'air.

Le temps était splendide et les moindres détails se détachaient avec précision dans la lumière joyeuse du soleil. Petit dimanche tranquille. Les voitures se faisaient rares sur les grandes artères et l'interminable rue Saint-Denis qui descendait vers le Centre-Ville était presque déserte. Comme toujours, lorsqu'il s'approchait des géants de verre, Mathieu frissonna d'exaltation. Les gratte-ciel se reflétaient les uns dans les autres et multipliaient à l'infini des grands pans de ciel bleu. Lui aussi, un jour, il construirait des menhirs de lumière comme ceux-là, encore plus hauts, encore plus fous.

Les deux adolescents s'arrêtèrent quelques instants pour admirer les parterres de fleurs qui vibraient de tous leurs feux sur l'esplanade de la rue McGill, puis ils repartirent vers l'ouest, presque seuls sur la belle rue Sherbrooke. À la hauteur du Musée des Beaux-Arts, ils mirent pied à terre, bouclèrent leurs vélos à un réverbère et, main dans la main, remontèrent la rue, pour le simple plaisir de baguenauder.

Mégane adorait regarder les vitrines. Elle s'arrêtait presque tous les dix pas en faisant une foule de commentaires. Ça tapait un peu sur les nerfs de Mathieu mais, bon, elle était si *cool* pour tout le reste qu'il pouvait bien lui concéder ce petit plaisir.

Coincée entre une boutique d'antiquités et une bijouterie de luxe, une galerie d'Art capta soudain leur attention. Posée sur un chevalet, une grande toile aux couleurs joyeuses occupait tout l'espace de la vitrine. Et quelle toile ! Au premier abord, on aurait dit une bande dessinée. Par bien des côtés, ça ressemblait même à un dessin d'enfant. Les personnages étaient grassouillets, presque plus gros que les maisons. Les édifices étaient biscornus. Les arbres avaient l'air de gros pompons verts, le tout interprété dans des couleurs pétantes. C'était plutôt comique à regarder. Mais lorsque Mathieu s'approcha de plus près, il reçut le choc de sa vie. L'équivalent d'une décharge électrique le long de la colonne vertébrale.

Un petit carton blanc au bas du tableau attira l'attention de Méganne. Elle le lut à haute voix :

« *Journée d'été, rue Bélanger* » par Miyuki Tanobe. Août 1996.

La jeune fille en perdit la voix et se tourna vers son ami qui, lui, en avait perdu toutes ses couleurs. C'était ahurissant. Le tableau représentait la rue de Mathieu, sa maison, tout son univers.

— T'as vu ça, Mathieu ? C'est complètement débile, cette histoire-là ! C'est ta maison. Regarde, on voit même le numéro, 264... La porte bleue... le dépanneur de Toni au coin de la rue... et la pancarte de Loto-Québec dans sa vitrine... Regarde le gros arbre, ici, c'est celui qui pousse dans le parterre de madame Marconi, juste à côté de chez toi...

Méganne était lancée et jacassait comme une pie. Mathieu ne disait mot et restait planté comme un piquet de clôture devant l'impossible image qui reflétait sa vie.

— Regarde, hé, regarde. On peut même reconnaître des gens. Ici c'est le père Léonard avec son chien. Sur le balcon, je suis prête à gager que c'est la mama des Conti. Regarde, on voit madame Robidoux sortir de chez Toni avec un sac de pommes et dans le coin à droite, là, sur le triporteur, c'est Albert qui va faire ses livraisons.... Et là... ma parole... mais c'est TOI, assis dans l'escalier, avec ton chandail rouge du Canadien.

Cette dernière constatation lui coupa à nouveau le sifflet. Ils s'approchèrent tous deux jusqu'à poser le nez sur la vitre et... admirèrent.

Le tableau représentait tout un monde — leur monde — mais comme ils ne l'avaient jamais vu. Plus on le regardait, plus on découvrait de nouveaux détails. Des pigeons sillonnaient le ciel. On apercevait un clocher au-dessus des toits, des boîtes à fleurs aux fenêtres, un drapeau du Québec qui flottait au vent, du linge qui séchait sur une corde, une lucarne où deux amoureux s'embrassaient. Méganne compta vingt-cinq personnages dans ce petit espace surpeuplé, plus trois chiens, un canari dans une cage et un chat couché sur la rampe d'un balcon. C'était tout simplement fantastique que l'artiste ait pu loger autant de détails dans un si petit espace... mais ce qui l'était encore bien plus, c'est que tout cela, c'était chez eux. Et là, assis sur la troisième marche de l'escalier, le vélo appuyé contre la rampe, c'était Mathieu. Aucun doute possible.

— Tu crois que c'est moi ?

— Qui ça pourrait être d'autre ? T'as l'habitude de pencher ta tête sur le côté, comme dans le tableau.

— Ça peut pas être possible des choses pareilles. T'as une idée ?

— Pas le plus petit commencement d'un début d'idée.

— Miyuki Tanobe... c'est qui ça d'abord, un Chinois ? En tout cas, c'est pas un nom français.

— D'après moi, c'est plutôt une Chinoise... Là, tu vois, son portrait est collé sur l'affiche, à l'entrée.

La photographie représentait une femme souriante, entre deux âges, assise devant une table couverte d'assiettes remplies de peinture. Elle était en train de peindre une petite toile, posée à plat devant elle. Dans un pot, un gros bouquet de pinceaux attendait, au garde-à-vous.

— Hé, regarde, c'est écrit qu'elle est née en 1937 à Mo... Morioka, au Japon. C'est pas une Chinoise, c'est une Japonaise !

— Japonaise ou Chinoise, ça m'explique pas

pourquoi elle connaît ma rue et pourquoi elle me peinture la face dans un de ses tableaux.

— Stupide ! On dit pas « peinture », on dit « peint ». Elle fait pas de la peinture en bâtiment, cette femme-là. C'est une artiste, donc, elle « peint ».

— Toi et ton vocabulaire ! Puisque t'es si calée, explique-moi pourquoi je me retrouve devant mon propre portrait, exposé en pleine rue Sherbrooke, sans jamais avoir vu cette Japonaise-là de ma sainte vie, bougonna Mathieu.

— C'est pas moi qui peux te donner la réponse, mais on peut toujours aller demander à l'intérieur.

Tout seul, Mathieu n'aurait jamais osé. Mais Méganne avait déjà poussé la porte, qui s'ouvrit au tintement cristallin d'une clochette, et s'aventurait sur un tapis si épais qu'il avalait tous les bruits. L'adolescent resta sur le trottoir, figé par la timidité. Malgré l'heure matinale et le fait qu'on était dimanche, la galerie était ouverte. Un grand bonhomme à la crinière grise pitonnait devant l'écran d'un ordinateur, perdu dans un océan de paperasses. Au bruit de la porte, le distingué monsieur déplia sa longue silhouette pour accueillir sa jeune visiteuse.

— Qu'est-ce que je peux faire pour vous, Mademoiselle ?

Méganne jeta un regard éloquent vers Mathieu pour l'encourager à entrer, mais elle se rendit vite compte qu'il n'y aurait pas moyen de le faire bouger d'un millimètre. Elle se lança donc dans une explication où ses yeux et ses gestes avaient autant d'importance que ses paroles. À plusieurs reprises, elle pointa le tableau du doigt. Puis Mathieu. Et ensuite toutes les autres toiles accrochées sur les murs blancs. Le grand monsieur approuvait de la tête et, au fur et à mesure qu'elle parlait, un large sourire transformait son masque d'adulte sérieux en visage d'adolescent. Ce fut lui qui marcha d'un pas décidé vers la porte et qui invita Mathieu à entrer.

Très sympa, ce type! Il s'appelait Jean-Pierre. La galerie était à lui et il connaissait Miyuki Tanobe depuis longtemps. En quelques phrases, il leur brossa l'histoire de cette artiste japonaise qui vivait au Canada depuis 1971 et qui avait épousé un Québécois de Montréal. Elle habitait un petit village... à une soixantaine de kilomètres du 264 de la rue Bélanger.

Par contre, Jean-Pierre fut incapable de leur fournir une explication valable. Pourquoi Mathieu se retrouvait-il, avec toute sa rue, sur une toile de Miyuki? Mystère. Il parla de l'intuition de l'artiste... émit l'hypothèse qu'elle s'était sans doute promenée, par une journée du mois d'août 1996, dans la rue de Mathieu... que sa mémoire s'était imprégnée des images réelles qu'elle avait vues à ce moment-là. Il était également possible qu'elle ait pris quelques photos ou dessiné quelques croquis. Qui pouvait le dire? Personne ne savait au juste ni où, ni comment les créateurs puisaient leur inspiration. Pour chaque artiste, c'était différent et leurs secrets étaient bien gardés.

Méganne crut percevoir une lueur malicieuse dans l'œil de Jean-Pierre. Il semblait s'amuser beaucoup. Peut-être connaissait-il le secret de la toile ? Et peut-être avait-il juré de ne rien révéler. Le complice de Miyuki invita les deux jeunes gens à admirer les tableaux aussi longtemps qu'ils le désireraient et il alluma tous les projecteurs avant de retourner à son ordinateur.

Sous la lumière crue des ampoules blanches, les toiles s'allumèrent comme autant de feux d'artifice. Méganne et Mathieu eurent soudain l'impression de se trouver dans une cathédrale : la magie de l'artiste leur inspira un respect immédiat.

Les tableaux étaient tous plus magnifiques les uns que les autres : joyeux, exubérants, gorgés de couleurs et de mouvement. Chacun d'eux représentait un monde, un microcosme de charme où la vie ordinaire prenait des allures de fête. Rien d'agressif, rien de violent, rien de triste. Chacun d'eux racontait une histoire et, tous ensemble, ils s'accordaient, comme les instruments d'un orchestre, pour jouer une seule et unique musique : celle qui flottait dans la tête de Miyuki Tanobe.

Au premier regard, toutes les toiles semblaient faciles, presque enfantines, trop enjouées et trop folles pour avoir été imaginées par une femme adulte, même japonaise. Pourtant, en y regardant de plus près, rien n'était laissé au hasard. La composition des tableaux était riche et intense. Les couleurs vibrantes savamment travaillées. Les perspectives sinueuses qui s'envolaient vers le haut faisaient éclater l'espace logique du tableau pour permettre à l'artiste d'ajouter quelques détails supplémentaires de son cru. Que de travail, de soin, de souci méticuleux !

L'aboutissement d'une vie d'étude et de labeur était là, sur ces murs, offert à Méganne et à Mathieu. Pour le simple plaisir de leurs yeux ? Pas tout à fait. Sans avoir besoin de se le dire, les deux amis comprirent qu'ils venaient d'aborder dans un univers qui pouvait modifier leur manière de regarder les choses, les gens et la vie tout entière.

Contrairement à Méganne dont les parents possédaient quelques peintures, achetées au marché de Port-au-Prince, Mathieu n'avait jamais eu de réels contacts avec une œuvre d'art. Pour lui, tout ça c'était pour les riches, pour les Anglais de Westmount ou les friqués d'Outremont. Sa chambre d'adolescent était tapissée de posters. Mais Mike Jaeger, les Vilains Pingouins, Alanis Morissette et Jean Leloup n'avaient pas grand-chose de commun avec ce qu'il avait sous les yeux. Sur le plan pictural s'entend ! Quoique... Alanis...

En somme, c'était un peu comme un jeu vidéo. Il était au seuil d'un niveau supérieur. À lui de trouver les clés pour aller de l'avant.

Jean-Pierre se leva. Il fit glisser une sorte de

grand plateau dans un classeur métallique et en retira deux affiches qu'il roula serré dans un tube de carton. Les deux jeunes sortirent de leur contemplation béate. Presque une heure qu'ils étaient là, silencieux, à regarder les quinze tableaux qui fleurissaient les murs. Dingue ! Il était grand temps de partir.

Juste avant qu'ils ne s'en aillent, le directeur de la galerie les invita à revenir en leur serrant la main et, avec un petit salut galant, il remit à la jeune fille le tube qui contenait les deux affiches.

Sur le trottoir, Méganne ouvrit les vannes.

— T'as vu ça, c'était génial, non ? Je peux pas exprimer avec des mots tout ce que j'ai ressenti, mais c'était tout drôle... comme si je m'étais retrouvée dans la tête de quelqu'un d'autre, comme si je voyais tout avec ses yeux... Elle... elle est « géante » cette bonne femme. Tiens, ça me donne la chair de poule.

Mathieu aussi avait la chair de poule. Il enfourcha son vélo et pédala comme dans un rêve jusqu'au Parc Lafontaine.

Affalé sous les grands arbres, l'adolescent regarda son amie dérouler les deux images identiques, mais il savait déjà ce qu'elles représentaient. Elles reproduisaient le tableau de la vitrine, celui de la rue Bélanger, celui qui les avait appelés de loin. Mathieu émergea enfin de sa stupeur.

— Tu vois, Meg, j'ai compris au moins une chose. Si cette femme-là se donne la peine de peindre des gens ordinaires comme nous, c'est parce qu'elle peint pour nous, c'est parce qu'elle s'adresse à nous, tu crois pas ?

— T'as bien raison. Moi, je crois aussi qu'elle nous aime. On peut pas peindre des choses pareilles sans aimer ça.

— Peut-être qu'elle nous aime, mais c'est pas demain la veille qu'on va pouvoir s'acheter un tableau. T'as vu les prix ?

— J'ai pas pensé à regarder. C'était cher ?

— Pas à peu près.

— Ben, ça veut sûrement dire qu'elle est très connue. Mon oncle m'a déjà expliqué que les artistes ont une sorte de cote, un peu comme les voitures. Plus leurs œuvres sont chères, plus ils sont réputés. Une artiste comme elle ne peut pas peindre plus de cent toiles par année, alors qu'il y a peut-être mille personnes qui aimeraient lui en acheter une. C'est sans doute ça, la loi de l'offre et de la demande.

— En tout cas, on a au moins une affiche.

— Tu sais ce que je vais faire ? Au lieu de l'épingler sur les murs de ma chambre, je vais la faire laminer pour qu'elle dure plus longtemps.

— Pas mauvaise, ton idée ! Je vais faire pareil. Dès demain, j'irai à la Caisse, chercher de l'argent dans mon compte.

— J'ai pensé à un autre truc, Mathieu. Un tableau comme celui-là, c'est un témoignage. Il contient tout : notre quartier, notre ville, notre époque. C'est comme un bouquin. Dans dix mille ans, les archéologues du futur pourront reconstituer toute notre vie, rien qu'en le regardant. T'imagines un peu !

— Ouais. J'aurais jamais cru que l'Art, ça pouvait être aussi utile !

Et sur ces hautes considérations philosophiques, les deux amis reprirent le chemin du retour. Mathieu se sentait heureux. Une fois la surprise passée, ça ne le dérangeait plus du tout de s'être fait «peinturer la face» par une inconnue. C'était un peu comme si un journaliste était venu l'interviewer et qu'il était passé à la télé, aux nouvelles du soir. Sauf que là, l'effet durerait bien plus longtemps, des siècles peut-être, le temps de vie du tableau. Plus il y pensait, plus il se sentait honoré d'avoir été élu, lui et sa rue, pour participer à la kermesse joyeuse de Miyuki. Il se sentait en parfaite harmonie avec ce qu'il avait vu sur les murs de la galerie. Convaincu de partager avec l'artiste une passion semblable pour la ville et tous ceux qui lui donnaient ses mille et un visages. Cette vie quotidienne, si banale qu'on ne la voyait plus, pouvait se transformer d'un coup de pinceau magique. Il suffisait de la regarder autrement. De la VOIR vraiment.

* * *

À la brunante, Mathieu grimpa sur le toit en terrasse par l'escalier de secours, sa guitare en bandoulière. Le ciel de Montréal était rose et vert. Autour de lui, la ville entière clignotait de tous ses lampadaires. Sur le boulevard Métropolitain, le serpent de lumière des voitures qui rentraient du Nord faisait entendre son sifflement diffus. La rue Bélanger au grand complet profitait de cette belle soirée d'été, dans une cacophonie de portes, d'éclats de rires, de klaxons d'auto et de glissement de pneus.

Mathieu s'assit sur le bitume encore tiède du toit, confortablement adossé à une cheminée de brique. Il ferma les yeux quelques instants pour retrouver l'exubérance exprimée dans l'affiche avec laquelle il allait désormais vivre. Sa première œuvre d'Art. C'était comme une histoire d'amour. Il lui faudrait du temps pour en découvrir tous les secrets. Et après celle-là, il y en aurait d'autres, plein d'autres.

Dans la solitude moite du soir qui tombait, ses doigts de musicien caressèrent les cordes de la guitare. Et là, tout doucement, Mathieu improvisa une petite musique de nuit, afin d'ajouter sa propre magie à l'univers de Miyuki.

LE NOËL DE SYLVESTRE

La compassion

Pays du fond de moi
Sache que je te suis fidèle
Et que la planète est fragile
Autour de toi
Nul ne franchit jamais
D'autre frontière
Que le doux incertain
De tes mirages…

Gilles Vigneault
Pays du fond de moi

Deux heures !

Deux heures qu'il poireautait dans la bouillasse gelée, devant la station de métro Snowdon !

Julius avait promis de venir. Il DEVAIT venir. Il ne restait plus le moindre dollar dans la boîte métallique que leur mère rangeait dans l'armoire, entre les abricots secs et le paquet de farine.

Sylvestre grelottait. Ses *Nike* usés pissaient l'eau et son blouson de jeans était imbibé d'humidité glacée. Gros comme des pièces de vingt-cinq sous, des flocons de neige de plus en plus nombreux venaient mourir en douceur sur les quelques atomes de chaleur dégagés par ses cheveux.

Autour de lui, tout le monde avait l'air d'être passé en cinquième vitesse. C'était la veille de Noël. Les gens s'engouffraient dans les portes battantes du métro, les bras chargés et le sourire aux lèvres. Engoncé dans un gros manteau gris, coiffé d'une casquette au liseré rouge, un vieux mec de l'Armée du Salut agitait inlassablement une clochette devant une bulle de plastique transparent qui se remplissait — lentement mais sûrement — de billets de banque et de grosses pièces de monnaie.

Sylvestre regardait avec envie les billets froissés. Le tintement faussement joyeux de la clochette lui tapait sur les nerfs. Julius avait promis d'être là à deux heures et il était presque quatre heures. Déjà!

L'adolescent mordit dans sa colère et cracha dans la neige pour se défouler. Il entama pour la dix millième fois un petit aller et retour sur le trottoir du chemin de la Reine-Marie. Juste de quoi se dégourdir un peu... Pas question de manquer Julius en allant trop loin.

Le moral de Sylvestre dégringolait au même rythme que la température. Il faisait déjà nuit noire... à quatre heures de l'après-midi! Mais qu'est-ce qui leur avait pris à tous de venir s'échouer sur les rives de ce Québec de merde où le ciel d'hiver n'avait jamais l'envie d'être bleu... Rien de comparable avec le Rwanda! Le garçon regarda ses mains. Il avait tellement froid que sa peau noire prenait des reflets d'ambre gris dans la lumière vaguement rose des lampadaires. N'y tenant plus, il se laissa dériver vers les grandes portes battantes pour se réchauffer dans le hall de la station de métro.

Julius ne viendrait plus ! Il s'en foutait pas mal si sa propre mère et son jeune frère crevaient de faim, le soir de Noël. Depuis qu'il travaillait comme chauffeur de camion chez un déménageur, il faisait sa vie sans se soucier d'eux. Pourtant, à titre de frère aîné, il avait le devoir de soutenir sa famille. Au pays, c'était comme ça... Depuis toujours... Mais ici, on était pas mal loin du Conseil des Anciens et de leurs traditions. Julius faisait ce qu'il voulait et prenait ses distances. Depuis quelques semaines, il sortait avec une espèce de grande planche à repasser blonde. Rien d'autre ne comptait.

La veille, Nelly s'était une fois de plus abaissée à supplier son grand fils aîné de leur venir en aide. Le chèque du B.S. s'était évaporé bien avant la fin du mois. Julius avait promis cinquante dollars. Sylvestre devait l'attendre au métro Snowdon à deux heures pile pour prendre cet argent. Mais Julius n'était pas venu... L'enfant de nananne !

Sylvestre attendait toujours. Sans espoir ! Il ne se voyait pas retourner à l'appartement de la Côte-des-Neiges les mains vides. Submergé par la détresse, il s'assit sur un banc, le long de la grande verrière et se mit à rêver à son pays perdu. Près de Kigali, les collines étaient toujours vertes et même en décembre, les bougainvillées en fleurs débordaient des clôtures. Les mangues à la chair orange tombaient mollement dans l'herbe, parfaitement mûres. On n'avait qu'à se pencher pour les ramasser... Sa nostalgie fut soudain noyée dans un flot de chagrin. Le visage de son père, baignant dans une flaque de sang, s'imposa comme un coup de poing. Le Rwanda était ravagé par la guerre. Sa famille avait été décimée et il pouvait s'estimer chanceux d'avoir échappé à cette folie meurtrière.

* * *

Vomi par l'escalier mécanique, un clochard surgit brusquement dans son champ de vision. D'un pas chancelant, le vieil homme se dirigea dans sa direction, traînant derrière lui un immense sac de plastique, à moitié rempli de canettes vides. Avec un soupir de satisfaction, il s'affala sur le banc à côté de l'adolescent.

Quelle odeur ! Sylvestre faillit en tomber raide. C'était presque pas possible qu'un type puisse sentir aussi mauvais : urine, sueur, alcool frelaté, pourriture humide... l'individu semblait s'être échappé d'une poubelle. En itinérant avisé, il trimballait tous ses biens terrestres avec lui. Outre son trésor de canettes, il portait un sac à dos bourré à bloc et plusieurs autres sacs d'épicerie en plastique qu'il disposa en cercle à ses pieds. Il enleva ensuite son bonnet à oreilles crasseux, gratta longuement sa tignasse blanche et déboutonna son anorak en ruine.

Sylvestre voulait s'en aller mais un découragement sans nom le collait à son banc. L'adolescent et le vieux clochard étaient enfermés dans la même bulle, unis par la même solitude, oubliés tous les deux dans les courants d'air des grandes portes, au milieu d'une foule indifférente. Frères de galère, la veille de Noël !

Le Vieux se tourna vers Sylvestre et lui sourit de toutes ses gencives édentées en clignant de l'œil. Il farfouilla dans un de ses sacs et y pêcha deux bières. Il en poussa une vers le garçon.

— Joyeux Noël, mon jeune !

Le petit bruit joyeux d'une canette qu'on décapsule sortit Sylvestre de son engourdissement. Le Vieux avait déjà éclusé la moitié de sa bière lorsque Sylvestre se surprit à prendre celle qu'on venait de lui offrir dans un geste d'amitié inattendu.

— Merci !

Il n'aimait pas beaucoup le goût de la bière, et ce soir, le liquide doré et pétillant était encore plus amer que d'habitude. Il s'obligea à tout boire. L'alcool l'enveloppa d'une chaleur éphémère qui le réconforta un peu. La clochette de l'Armée du Salut s'était tue. Le garçon se barricada dans un silence renfrogné. Il avait accepté le geste de l'inconnu. Soit ! mais il n'avait aucunement l'intention d'entretenir une conversation.

Sans crier gare, le vagabond se mit soudain à beugler des cantiques en tendant son bonnet à oreilles vers le mirage coloré des voyageurs. Des monnaies se mirent à tinter dans le chapeau. Les gens étaient généreux.

C'était facile, c'était Noël !

Sylvestre eut honte. Honte de ce vieil homme qui bradait ses souvenirs pour quelques pièces, honte de ces gens qui s'achetaient une bonne conscience en solde à la dernière minute, honte de son frère qui l'obligeait à mendier.... honte de sa propre honte et de l'humiliation qui lui barbouillait le cœur.

Mais qu'est-ce qu'il avait à s'égosiller comme ça, ce vieux débile !

* * *

Sylvestre attendait toujours, il ne savait plus quoi au juste ! Il était cinq heures passées. Les passants se faisaient plus rares. À côté de lui, le Vieux s'était affaissé, endormi sur lui-même, le menton enfoui dans le collet de son anorak. Il ronflait comme un bienheureux.

Tout à coup, une décharge d'adrénaline électrisa l'adolescent. Un portefeuille ! Oui, c'était bien un portefeuille qu'il voyait, là, à moitié échappé d'une des poches du clochard. Le cœur de Sylvestre s'emballa. D'un regard circulaire, il s'assura de l'indifférence générale, tendit la main vers la poche et harponna le portefeuille. Dix secondes plus tard, il avait dévalé l'escalier et s'était réfugié dans la petite cabine du Photomaton en faisant glisser le rideau noir derrière lui.

Le portefeuille s'ouvrit sous les doigts tremblants de Sylvestre et livra tous les vieux secrets d'une vie défaite : une carte d'assurance-maladie, trois lettres aux pliures sales, quelques photos rescapées d'un passé lointain, l'adresse d'un refuge sur un carré de papier jaune, une médaille en argent et... non.... c'était pas vrai.... là.... dans un compartiment fermé par un velcro.... cinq billets de cent dollars tout neufs, qui craquaient encore sous les doigts comme s'ils sortaient de la banque.

Alors ça, c'était le bouquet ! Ce vieux clodo qui se baladait avec son gros lot de canettes, dans une puanteur à faire capoter une moufette... ce vieux cinglé sans domicile fixe qui dérivait de stations de métro en refuges... ce vieux débile qui braillait des cantiques en buvant de la bière et en agaçant ses poux.... ce vieux débris qui volait des rêves au milieu du vacarme... Ce Vieux possédait dans sa poche une véritable petite fortune et NE S'EN SERVAIT PAS !

Pourquoi ?

Sylvestre n'y comprenait rien. Pour lui, l'argent représentait la chaleur, la sécurité, un repas partagé avec des gens qu'on aime, la promesse d'un avenir meilleur... la dignité, quoi !

Qu'est-ce qui pouvait bien pousser un homme à renoncer à tout ça ? Quelles défaites, quelles terribles guerres intimes broyaient ainsi tous les espoirs ?

Sylvestre ne se posa pas longtemps de questions. Il n'osa pas lire les lettres et ne regarda pas davantage les photos, mais il glissa les cinq billets dans la poche intérieure de son blouson, referma le portefeuille et l'abandonna sur le siège de la cabine. Puis il remonta l'escalier, traversa le hall d'un pas pressé et se dilua sur le trottoir dans le tourbillon blanc des rafales. Écroulé sur son banc, le Vieux dormait toujours.

L'adolescent marchait vite, pressé de rentrer chez lui. Il imaginait déjà tout ce qu'il allait pouvoir acheter avec ce pactole tombé du ciel... enfin pas tout à fait du ciel mais d'une poche providentielle. La Pâtisserie de Provence était encore ouverte. Des bûches de Noël chevauchées par des lutins miniatures étaient cordées dans la vitrine. Des pâtés rares, des pains aux formes inconnues, des chocolats emballés dans des papiers miroitants... Sylvestre n'avait jamais rien goûté de tout ça ! Son rêve prenait forme ; le brouillard de chaleur qui se dégageait du magasin l'invitait à entrer. Il froissa les billets dans sa poche...

... et rebroussa chemin vers la station de métro Snowdon.

* * *

Il ne pouvait pas faire ça ! Ce Vieux avait été correct avec lui... un peu plus que ça même ! Sympa, chaleureux, compatissant à sa détresse. Lui piquer son fric c'était une chose... mais le priver à jamais des quelques souvenirs rescapés de son naufrage personnel.... alors, là, ce serait vraiment salaud ! Sylvestre n'avait jamais rien volé de sa vie. Il revit le visage ensanglanté de son père, mort pour un certain idéal de justice... le sourire éteint de sa mère.... et il se sentit soudain moins que rien.

L'adolescent s'engouffra dans la station et connut un début de panique. L'itinérant n'était plus là. Sylvestre s'envola vers l'escalier et plongea dans la cabine du Photomaton... Okay ! Le portefeuille était encore là. Restait maintenant à trouver le Vieux. Gelé comme il l'était, il ne pouvait être loin.

C'est la cacophonie métallique des canettes qui guida Sylvestre comme un fil d'Ariane sonore. Le Vieux avait passé le tourniquet et chaloupait vers l'interminable escalier roulant qui descendait jusqu'aux catacombes du métro. Il se balançait dangereusement sur sa marche mobile et Sylvestre pressentit qu'il allait piquer une tête dans le vide avant d'arriver en bas. L'adolescent sauta par-dessus le tourniquet et fonça dans l'escalier mécanique. Il agrippa l'épaule du vieux bonhomme juste avant qu'il ne perde ce qui lui restait d'équilibre.

Ils se retrouvèrent dans le couloir menant aux quais, aussi étonnés l'un que l'autre. Le vieillard prit quelques secondes pour émerger de la léthargie mortelle dans laquelle il s'était perdu. Il dévisagea l'adolescent. Ses yeux bleus exprimèrent une tendresse triste et les rides de son front se chargèrent de sens. Par vagues successives, la vie reprit ses droits et transfigura le visage usé. Sylvestre assistait à la métamorphose, stupéfait ! Non, ce type n'était pas fini... et il n'était pas si vieux que ça !

Sylvestre était tiraillé entre plusieurs sentiments contradictoires. Pour s'en sortir au plus vite, il pêcha le portefeuille dans la poche arrière de son jeans et le tendit à l'homme.

— Heu ! Je crois que c'est à vous... je l'ai trouvé sous le banc, dans l'entrée...

Le clochard esquissa un vague sourire et enfourna le portefeuille dans sa poche, sans en vérifier le contenu. Son regard bleu n'avait pas quitté Sylvestre.

Il y a des moments dans la vie qui sont comme des portes sur l'avenir. Un geste plutôt qu'un autre et ce n'est plus la même porte qui s'ouvre. C'est définitif ! En l'espace d'une fraction de seconde, Sylvestre eut à choisir. Ses longs doigts d'ébène plongèrent dans son blouson et en ramenèrent les cinq billets.

— Ça aussi, c'est à vous !

Le regard du Vieux s'illumina et devint très doux. Il comprenait. Il comprenait tout ! Et sa générosité allait bien au-delà du pardon. Très lentement, il tendit les bras vers l'adolescent et emprisonna les jeunes mains glacées entre ses doigts sales. Pendant quelques instants, il se perdit dans cette contemplation puis, reprenant pied dans la réalité, il repoussa les billets tendus.

— Garde ça, mon jeune! T'en as bien plus besoin que moi!

Il n'y avait rien à ajouter.

Comme une marée, la vie se retira du visage ravagé et reflua loin du sourire vide et du regard hébété. Le Vieux remonta sur son bateau ivre, traînant dans son sillage son orchestre de canettes, avant de s'échouer dans une rame de métro qui, pour lui, n'allait nulle part.

Sylvestre était pétrifié.

* * *

L'appartement était vide et sombre. À l'aveuglette, Sylvestre déchargea ses paquets sur le comptoir de la cuisine. Lorsqu'il fit de la lumière, il aperçut un petit mot qui vibrait sur la porte du frigo. Nelly était partie à l'Oratoire Saint-Joseph. Elle devait rentrer vers huit heures.

L'adolescent vida ses poches. Il rangea la monnaie et les billets qui lui restaient dans la boîte métallique, entre le paquet d'abricots secs et la farine. Il déballa la bûche de Noël — la plus grosse qu'il ait pu trouver — et la plaça bien en évidence, au milieu de la table, sur sa dentelle de papier doré. Il disposa les pains, les pâtés, les chocolats sur des assiettes et mit la bouteille de vin blanc au frais. Ensuite, il sortit les napperons africains que sa mère avait traînés dans sa valise... contre vents et tempêtes.

— Bon Noël quand même, Nelly !

Il lui restait plus d'une heure à tuer avant le retour de sa mère... et quelques années-lumière à vivre avant d'accepter ce premier Noël, loin du soleil de son enfance. Sylvestre s'allongea sur son lit. Le regard bleu du Vieux le rejoignit et il se mit à pleurer sans bruit.

QUATRE-QUARTS

La tendresse

À Marie-Claude,
la douce

J'ai rêvé tellement fort de toi,
J'ai tellement marché, tellement parlé,
Tellement aimé ton ombre,
Qu'il ne me reste plus rien de toi.
Il me reste d'être l'ombre parmi les ombres
D'être cent fois plus ombre que l'ombre
D'être l'ombre qui viendra et reviendra
dans ta vie ensoleillée.

Robert Desnos (1900-1945)
Le dernier poème

Il y a des odeurs qui appartiennent d'abord à l'enfance. Accroupie devant la porte vitrée du four, Catherine regardait gonfler le gâteau dont le parfum chaud se répandait dans la cuisine. Elle avait appris à le faire alors qu'elle était encore toute petite. Six ou sept ans, pas plus.

Grand-maman venait de perdre son époux. Catou se rappelait très vaguement la grande boîte en bois verni où son grand-père semblait dormir. Elle ne gardait aucun souvenir de la cérémonie funèbre. Sa mère lui avait raconté qu'elle avait passé son temps à enlever ses chaussures et à détacher ses tresses. Par contre, elle se rappelait encore la partie de balle molle qu'elle avait disputée avec ses cousins dans la cour du restaurant où se déroulait le repas, après l'enterrement.

Devenir veuve après quarante-cinq ans d'amour et de vie commune... Grand-maman avait bien du mal à accepter sa solitude. Fidèle à ce qu'on attendait d'elle, elle réagit avec énergie. Comme on dit, elle « cassa maison », distribua ses affaires, dispersa ses souvenirs en ne gardant que l'essentiel afin de s'installer dans un foyer pour personnes retraitées. Mais malgré ce changement de vie radical, le souvenir de ses années heureuses la bouleversait de tristesse. Comment faire pour continuer à vivre, alors que le meilleur a déjà été vécu ? Pour l'aider à se sortir de son chagrin, ses cinq enfants l'invitèrent à venir passer les fins de semaine avec eux, à tour de rôle. Proposition, qu'elle accepta avec reconnaissance.

Lorsque c'était le tour de Rachel de recevoir sa mère, on installait un lit de camp dans la chambre de Catou qui prêtait volontiers le sien à sa grand-mère. Coiffée de frais, pomponnée et parfumée avec soin, Roseda Parent débarquait chez sa fille en souveraine, avec une multitude de sacs et de réticules qui contenaient des surprises. Catherine et son frère Alexandre bénéficiaient en priorité de ses largesses. Des années plus tard, Catou possédait encore une belle collection de pantoufles en Phentex, inusables et affreuses, que grand-maman tricotait inlassablement en regardant la télé.

Dès son arrivée, Roseda prenait possession de la cuisine à la grande consternation de Rachel qui devenait second violon dans sa propre maison. Catou était ravie. En quelques instants, la cuisine se transformait en champ de foire. Grand-maman ouvrait toutes les armoires, entassait sur le comptoir les bocaux de sucre, de farine et de cassonade, sortait les œufs et le beurre du frigo, farfouillait en marmonnant dans le tiroir à épices à la recherche de la vanille et plongeait dans le compartiment à casseroles pour en ressortir avec la balance à pâtisserie et un assortiment de moules à gâteaux. Soupirant avec satisfaction, elle nouait alors un ample tablier sur sa confortable bedaine, et introduisait une de ses cassettes préférées dans le petit poste de radio de la cuisine. Lorsque la voix de Fernand Gignac envahissait la pièce à en faire frissonner les rideaux, les réjouissances commençaient. À ce stade-ci, Rachel battait en retraite, incapable de supporter la vitalité et le désordre de sa mère.

Catou et Roseda restaient seules, partageant la même étincelle de malice, comme deux complices en quête d'un mauvais coup. C'est alors que grand-maman se lançait dans la confection du gâteau qui l'avait rendue célèbre au Cercle des Fermières de Wickham : le Quatre-quarts.

D'abord, tout préparer. Peser trois œufs (avec la coquille). Les casser dans un bol. Mesurer dans trois tasses le même poids de sucre, de farine et de beurre. Râper le zeste d'un citron (avec le truc infernal qui râpait aussi les doigts). On commençait en battant très longuement le sucre avec les œufs, jusqu'à ce que de grosses bulles molles viennent crever la surface jaune pâle.

— Voilà le secret! clamait grand-maman. Si tu fouettes longtemps, tu fais rentrer de l'air dans ta pâte et ton gâteau est plus léger.

Après, il fallait ajouter la farine, cuillerée par cuillerée, pendant que le batteur tournait avec furie. Ça, c'était le travail de Catherine. Un petit nuage blanc flottait au-dessus du saladier et se déposait en pellicule transparente sur le comptoir. Venait ensuite le tour du beurre fondu qu'on faisait couler en filet dans la pâte lisse. En tout dernier lieu, on ajoutait un soupçon d'essence de vanille ET le zeste râpé du citron. C'était ce mélange de deux parfums exotiques et quasi incompatibles qui rendait le gâteau inimitable... et délicieux. Roseda n'avait jamais révélé ce détail à quiconque et Catou avait solennellement juré de ne jamais le divulguer. Elle n'était pas peu fière d'être jugée digne de partager un secret de famille si jalousement gardé qui lui conférait une aura d'héritière et de préférée.

La petite fille avait une autre mission de confiance. Perchée sur le haut tabouret du comptoir, elle passait le papier du beurre sur les parois du moule. De grandes auréoles de graisse maculaient ses vêtements, mais les deux complices s'en fichaient comme de l'an quarante. Grand-maman chantait avec son cher Fernand en donnant les ultimes coups de mixette. D'un air professionnel, elle approuvait la débauche de graisse qui barbouillait le moule et y versait la précieuse pâte à grand renfort d'effets de spatule. Lorsque le gâteau était enfourné, Catou s'installait à genoux devant la vitre du four, tout en léchant les restes de pâte crue dans le saladier. Sa mère n'acceptait jamais de la laisser laper ainsi, comme un petit chien, mais avec grand-maman, tout était possible.

Couvée par la chaude présence de sa grand-mère, le nez collé contre le four, Catou vivait des instants de pur bonheur qui s'imprégnaient à jamais dans sa mémoire. Le gâteau qui cuisait contenait autant de tendresse que de sucre, autant de sécurité que de farine, autant d'amour que de parfum...

Au repas du soir, le Quatre-quarts trônait sur la table familiale. On le découpait en tranches fines et chacun le tartinait de ce qu'il voulait : chocolat fondu, compote ou marmelade. Roseda échangeait de nombreux clins d'œil avec sa Catou. Rachel, qui s'était tapé tout le nettoyage après la tornade, ne faisait aucune allusion aux manches graisseuses de sa fille et considérait les deux complices avec un sourire résigné.

Le lundi matin, Catou et Alex partaient à l'école en emportant les dernières tranches de Quatre-quarts dans leur boîte à lunch. Rachel et son mari rejoignaient leur travail. Roseda retrouvait son foyer de Vieux, sa solitude et son chagrin.

* * *

Catou adulait sa grand-mère. Au fil des mois et des années, la préparation du Quatre-quarts devint un rituel sacré et personne ne se risquait à déranger les deux sorcières lorsqu'elles s'enfermaient dans la cuisine.

À cette époque, Catherine était trop jeune pour s'apercevoir de l'insidieuse transformation qui affectait sa grand-mère. Roseda n'avait jamais réussi à guérir sa peine et se laissait glisser tout doucement vers le néant. Pour la fillette, Roseda représentait le dynamisme, la continuité avec le passé, l'expérience transmise avec un grain de folie. Elle ne voyait pas le reste. Elle ne voyait pas l'énergique silhouette se voûter, les mains qui tremblaient de plus en plus, la parole qui devenait pâteuse, les propos parfois incohérents. Elle ne voulait rien voir de tout cela. En sa présence, Roseda retrouvait un semblant de lumière. Les baisers de sa petite-fille lui redonnaient l'étincelle de passion nécessaire pour faire durer l'illusion encore un peu, et repousser le dragon noir qui rongeait sa vie.

Un jour, il n'y eut plus de Quatre-quarts. Le navire qui amenait la vieille dame jusqu'au monde de Catherine avait fait naufrage. Roseda vivait encore mais elle n'était plus qu'une coquille fragile, murée dans un silence obstiné dont on arrivait rarement à la faire sortir.

Sénilité ? Alzheimer ? Quelle était donc cette maladie qui lui volait sa vieille complice ? Catherine avait douze ans lorsqu'elle réalisa d'un seul coup la déchéance de son aïeule. Elle en reçut un tel choc qu'elle refusa de regarder l'évidence en face. Pour elle, pas question de mettre les pieds au foyer pour malades chroniques où on avait déménagé Roseda. Elle piquait une colère noire à chaque fois qu'on faisait allusion devant elle à l'état de sa grand-mère et sortait comme une furie en claquant la porte dès que Rachel lui proposait de faire un gâteau.

Catou n'avait pas revu sa grand-mère depuis presque quatre ans. Elle venait juste d'avoir seize ans.

* * *

Il pleuvait sans arrêt depuis une semaine. La fin du mois d'août était pourrie et les vacances scolaires finissaient en queue de poisson... Seule à la maison, Catou s'ennuyait comme c'est pas possible. Elle n'avait plus rien de convenable à lire et la télé ne vomissait que des « Films B » des années cinquante. Comble de malchance, son amie Jessica était partie à Montréal jusqu'à la rentrée scolaire.

Catherine entra dans la cuisine. Poussée par une volonté inconnue qui n'avait rien à voir avec l'ennui qu'elle éprouvait, elle se mit à chambouler les placards, à sortir le moule et la balance, à râper un citron et à peser ses ingrédients... Le nez collé contre le four, en léchant du bout du doigt la pâte jaune au fond du saladier, elle regarda monter son gâteau et les images affluèrent à sa mémoire : grand-maman qui chantait avec Fernand Gignac, le fouillis dans la cuisine, les soupirs de Rachel, les commentaires d'Alex et de son père... le bonheur d'être tous ensemble. Pendant toute la cuisson, la jeune fille se réchauffa à ses souvenirs et, au dedans d'elle-même, un glaçon dur se mit à fondre.

Deux heures plus tard, après une course à bicyclette sous la pluie battante, dans les rues de Drummondville, Catherine entra pour la première fois de sa vie au Foyer Père Frédéric. Elle se dirigea résolument vers l'accueil.

— Madame Roseda Parent, s'il vous plaît ?

La préposée lui indiqua tout un dédale de couloirs dans lequel elle s'engagea, le cœur battant, en secouant son K-Way. Ses espadrilles trempées chuintaient sur le linoléum brillant comme un miroir. Elle se trompa deux fois de direction avant d'arriver au poste des infirmières où on lui indiqua que madame Parent était installée dans la salle communautaire, près de la verrière. Là. Pas loin. À deux enjambées de couloir.

Roseda était assise dans un fauteuil roulant, face à la fenêtre obscurcie par le rideau de pluie. Elle semblait absorbée dans la contemplation d'une plante verte. De dos, elle pouvait encore faire illusion. Ses boucles blanches moussaient en auréole autour de sa tête et un petit châle en dentelle de crochet, jeté sur ses épaules, suggérait qu'elle n'avait pas abdiqué toute coquetterie.

Mais lorsqu'elle la vit de face, Catou ne put ignorer davantage la réalité. Roseda avait le regard vide. Un filet de salive coulait au coin de sa bouche ouverte dont le dentier avait été enlevé par mesure de prudence. À part un tremblement spasmodique des mains, plus aucun souffle de vie ne semblait habiter ce corps fragile, abandonné, là, sur ce fauteuil, dans cette grande antichambre anonyme qui ne ressemblait à rien. Grand-maman avait fui — Catou en était sûre — loin du corps ratatiné de cette petite dame qui poussait l'imposture jusqu'à lui ressembler.

La jeune fille rassembla tout son courage. Puisqu'elle était venue jusqu'ici, autant aller jusqu'au bout. Elle tira une chaise, s'installa en face de la vieille dame et serra dans les siennes, ses deux mains semées de taches brunes. Un semblant de chaleur coulait dans les veines gonflées et Catou ne put s'empêcher d'y répondre.

— Grand-maman, c'est Catou ! Tu m'entends ?

Pas un mot. Bien sûr !

Catherine comprit instinctivement qu'il fallait essayer encore. Elle avait des choses à dire à sa grand-mère. Des choses importantes qu'elle avait enfouies dans le silence et qui l'empêchaient de grandir. Peu importe le monde où était Roseda, elle devait les dire. Peut-être existait-il un canal mystérieux entre la vieille écorce qui tremblait devant elle et l'âme de cette mère-grand chérie qui lui manquait tant ?

— Grand-maman, c'est moi, Catou ! Tu te souviens... Le Quatre-quarts... Je sais pas si tu peux m'entendre, mais écoute-moi quand même ! C'est important. Je suis pas venue te voir plus tôt parce que j'étais pas capable... mais je t'aime toujours, tu sais.. et je t'aimerai toujours. Pour moi, t'es encore là, partout... dans tout ce que tu m'as appris, dans tout ce que tu m'as donné. Pour moi, c'est comme ça qu'on continue toutes les deux. Pour moi, tu peux pas mourir. Tu seras jamais morte... même si t'es déjà partie.

Les larmes coulaient sans retenue sur les joues de la grande fille mais, curieusement, son cœur s'allégeait. Elle se pencha sur le sac à dos qu'elle avait laissé tomber et en retira le Quatre-quarts, emballé dans une feuille d'aluminium. L'odeur du gâteau encore tiède les enferma toutes les deux dans une bulle de tendresse. Catherine cassa un petit morceau et l'approcha de la vieille dame qui ouvrit la bouche avec docilité, habituée à recevoir la becquée.

— C'est du Quatre-quarts, grand-maman. Tu reconnais ? C'est toi qui m'as appris à le faire. J'ai jamais donné ton secret à personne, j'te jure. C'est juste entre nous...

L'aïeule se mit à mastiquer et, tout à coup, le miracle s'accomplit. Une larme alluma une petite lumière argentée au coin de l'œil fané et la jeune fille sentit la main noueuse serrer la sienne. Roseda était revenue faire un tour dans sa vieille carcasse. Elle n'était pas sûre d'y rester longtemps mais puisque sa Catherine l'avait appelée, elle allait essayer de ranimer un peu ce cerveau délabré qui refusait d'obéir.

— Catou... Quatre-quarts...

La voix ressemblait à un croassement mais

Catherine ne s'y trompa pas. La complicité existait toujours entre la vieille et sa petite et rien ne pourrait les empêcher de s'y retrouver.

Roseda tint le coup aussi longtemps qu'elle le put. Décidément, son cerveau d'autrefois n'était plus bon à grand-chose et il était bien difficile à contrôler. Elle le quitta sans regret lorsqu'elle eut la certitude d'avoir triomphé de l'absence et du vide. Une fois encore.

Sur la fin de l'après-midi, la jeune fille quitta la salle communautaire. La vieille dame resta seule dans son fauteuil roulant. La petite larme de lumière s'était évaporée au coin de son œil. Des miettes de gâteau parsemaient sa jupe et elle mastiquait consciencieusement sa dernière bouchée, les yeux fixés sur la plante verte. Catherine s'en alla sur la pointe des pieds, sans faire de bruit, le cœur consolé. Tout comme Roseda.

Dehors, la pluie tombait toujours en rafales. Catou enfourcha son vélo et se mit à pédaler avec allégresse en s'arrosant dans toutes les flaques de passage. Et du haut du nuage où elle avait trouvé refuge, grand-maman sourit en regardant son enfant chérie... sa belle grande folle de petite-fille.

CAFÉ ROMANA

La haine

S'il te faut l'ennui pour te sembler profond
Et le bruit des villes pour saouler les remords
Et puis des faiblesses pour te paraître bon
Et puis des colères pour te paraître fort
Alors…
Alors tu n'as rien compris.

Jacques Brel (1929-1978)
S'il te faut

Isabelle adorait le Café Romana. Elle y venait presque chaque jour. Dès la fin des cours, elle quittait le brouhaha des couloirs du Cégep pour se réfugier dans la tranquillité de ce petit café italien. C'était le seul endroit où elle se sentait un peu comme chez elle, dans cette grande métropole où elle ne connaissait quasi personne.

En sortant du métro, elle n'avait qu'un seul coin de rue à marcher avant d'apercevoir le rideau en filet qui s'agitait dans la vitrine et masquait l'intérieur du Café Romana. Lorsqu'elle poussait la porte, une réconfortante odeur de sauce tomate à l'huile d'olive l'accueillait. Nulle part ailleurs, on ne mangeait d'aussi bonnes pâtes, à un prix pareil. Et quant aux expressos, personne ne les tassait avec autant d'amour que Gino, le propriétaire-barman, qui faisait partie des meubles aussi bien que son comptoir.

Il y avait presque tout le temps du monde au Café Romana, mais sur la fin de l'après-midi, c'était plus tranquille. Isa s'installait toujours au même endroit, à une petite table recouverte d'une nappe à carreaux dont la couleur alternait d'une semaine à l'autre.

En quelques semaines, elle était devenue une habituée. Dès qu'il la voyait entrer, Gino la saluait d'un bruyant « *Buongiorno, Isabella!* » et mettait en route sa machine à café. Elle avait tout juste le temps d'étaler ses livres devant elle. Le cappuccino fumant, saupoudré de chocolat noir, arrivait sur sa table, accompagné d'une assiette remplie de carrés de sucre brun et d'un immense verre d'eau où tintaient des cubes de glace.

À demi cachée dans un renfoncement de la vitrine, les pieds contre le radiateur, le nez perdu dans le parfum du café fort, Isabelle pouvait tout voir sans être vue. Elle travaillait un peu, repassait ses notes de cours, lisait quelques textes en les surlignant au feutre jaune tout en étudiant avec intérêt la faune de gentils machos qui allait et venait dans la place en respectant sa solitude et son apparence de travail. Au début, ils avaient tous essayé de la *cruiser*, question de politesse italienne, mais elle avait une façon bien à elle de décourager les tentatives de séduction importunes. Comme un escargot, elle rentrait dans sa coquille et y demeurait invisible.

Sur les murs du Café Romana, de grandes fresques naïves aux couleurs éclatantes invitaient

au voyage vers des destinations plus ensoleillées ˙
que la rue Saint-Laurent. L'une d'entre elles
représentait une petite cour intérieure du sud de
l'Italie, avec un puits en fer forgé croulant sous les
pots de fleurs. Un vrai chromo, mais Isa l'aimait
beaucoup. Surtout depuis que le mois de novembre
faisait alterner les rafales glacées avec les averses
de neige fondante. Elle se sentait au chaud dans
cette petite cour fleurie du Café Romana, baignant
dans une sorte de sérénité presque familiale.

La plupart du temps, la jeune fille s'en allait
sur le coup de six heures, pour regagner l'appartement qu'elle partageait avec quatre colocs. Mais
quelquefois, lorsque son budget d'étudiante le lui
permettait, elle soupait au Café Romana, incapable de résister à l'omniprésente odeur de la
sauce tomate au pesto. Gino déposait devant elle
une monstrueuse assiettée de *pastas* fumantes
qu'elle noyait d'une couche de parmesan râpé. Un
pur délice ! Isabelle se sentait vraiment bien au
Café Romana.

* * *

On venait tout juste de changer l'heure et
c'était presque comme si on avait changé le temps
tout entier. La nuit tombait une heure plus tôt
que d'habitude. Isa était arrivée au Café Romana
en pleine noirceur, le cœur triste sans trop savoir
pourquoi, après une de ces journées où l'on a

l'impression que le soleil s'est dilué à jamais dans le gris des nuages.

Les deux mains serrées autour de sa tasse, elle ne le vit pas entrer. Lorsqu'elle l'aperçut, il était appuyé au comptoir et commandait une bière à Gino. Un grand type maigre aux cheveux très courts, avec un blouson de cuir, des jeans et des bottes western. Impossible à cataloguer. Nouveau spécimen encore jamais vu... mais rien de bien original à l'horizon. La jeune fille l'examina un moment. Il buvait sa bière, enfoncé dans un silence farouche. Isa retourna au résumé de biologie qu'elle essayait de mémoriser sans trop se faire d'illusion.

Cinq bonnes minutes passèrent. Isabelle se sentit soudain envahie par une sensation inconfortable. Elle releva la tête. Il la regardait fixement depuis le comptoir et ce qu'elle crut lire dans ses yeux accentua son malaise. Personne ne l'avait jamais reluquée ainsi. Le regard bleu qui était posé sur elle reflétait une flamme malsaine, quelque chose comme du mépris, mélangé à une provocation mauvaise contre laquelle Isabelle se sentait complètement démunie.

La jeune fille commença à réunir ses affaires. Elle n'entendait pas jouer le jeu d'une attitude aussi provocante. Elle finissait sa tasse de café lorsque la haute silhouette de l'inconnu se planta devant sa table.

— Qu'est-ce que tu penses des négociations syndicales dans le secteur public?

Isabelle en fut interloquée. Ce qu'elle pensait des négo... ? Tu parles d'une question ! Elle n'en pensait rien à ce moment précis, et même si elle en avait pensé quelque chose, ce n'était sûrement pas avec un individu de cette espèce qu'elle aurait aimé en parler. Elle ne répondit pas, reposa sa tasse de café et ramassa ses gants qui avaient glissé sous la chaise.

— Hé ! je t'ai posé une question. Tu pourrais bien me répondre...

Et le poing de l'inconnu s'abattit sur la table dans un bruit de tasse et de soucoupe entre-choquées. La phrase avait claqué comme un coup de fouet. Le ton était offusqué. Haineux.

Isabelle n'était pas téméraire, mais elle ne manquait pas de courage. Elle fit face à l'individu, se demandant si elle avait affaire à un drogué ou à un alcoolique. Ses parents lui avaient appris à ne jamais reculer devant un obstacle, mais plutôt à l'évaluer afin d'être en mesure de l'écarter. L'obstacle qui était devant elle mesurait environ un mètre quatre-vingt. Il n'avait ni l'air gelé, ni l'air ivre. Ses mains ne tremblaient pas, ses yeux n'étaient pas striés de rouge et à part cette rage qui obscurcissait son regard, il avait l'air tout ce qu'il y a de plus normal... même très ordinaire... juste un peu trop exalté.

— Excuse-moi, je suis pressée, je dois m'en aller.

— Tu partiras pas avant d'avoir répondu à ma question, salope !

L'inconnu empoigna Isabelle par l'épaule et la força à se rasseoir d'un geste brusque. Il la dominait toujours de sa haute taille, l'écrasant de son regard bleu, convaincu de sa supériorité. La jeune fille sentit sa bouche devenir sèche. Elle n'avait pas encore peur malgré la menace. Gino était derrière son comptoir, comme d'habitude, et deux ou trois autres visages connus pouvaient faire office de boucliers protecteurs si besoin était. Elle plongea son regard dans les yeux bleus et affronta la situation calmement.

— Écoute, on se connaît pas. Pourquoi tu m'agresses comme ça ? Y'a quelque chose qui va pas ?

— Me semble que je t'ai posé une question intéressante. J'ai juste envie de discuter avec toi... prouve-moi que les filles sont pas toutes des connes.

— Tu t'y prends plutôt mal ! Si c'est ça l'idée que tu te fais des filles, c'est pas moi qui vais te faire changer d'avis. Comme je suis sûrement aussi « conne » que les autres, j'ai aucune envie de discuter avec toi. T'as vraiment un problème, mon vieux !

— Et si je te violais dans la ruelle à côté, quand tu sortiras tout à l'heure ? T'en aurais pas un problème, toi aussi ?

— Là, tu vas un peu trop loin. T'es en train de me menacer et je peux pas accepter ça. Je sais pas après qui tu en as — et je veux pas le savoir — mais j'ai pas l'intention de payer les pots cassés pour quelqu'un d'autre.

Indignée, Isabelle se leva d'un bond avec l'intention de faire intervenir Gino pour que l'inconnu la laisse en paix.

La main de l'homme l'atteignit en pleine figure. Subtil mélange entre gifle et coup de poing, d'une violence inouïe, jetée avec haine de toute la force de son bras. Isabelle retomba assise, hébétée, anesthésiée par l'incrédulité. La douleur l'épargna quelques secondes, avant de lui couper le souffle. Des étincelles se mirent à danser devant ses yeux et elle fondit en larmes.

Derrière le bar, Gino avait tout vu. Il ne prit pas dix secondes à réagir. Malgré sa corpulence, il sauta prestement par-dessus le comptoir, entraînant avec lui deux habitués du Romana qui avaient assisté à la scène, les yeux ronds de surprise. En un clin d'œil, le fou furieux fut ceinturé, écarté hors de portée d'Isabelle, les deux bras maintenus derrière le dos. Les gentils machos du Romana étaient outrés : frapper une femme — une jeune fille — dans un lieu public ? On n'avait jamais vu ça. Ce type était dingue. Il y avait tout de même des limites à ne pas franchir.

Étouffée par les larmes de révolte, la joue brûlante, Isabelle n'entendait rien, ne voyait rien. Elle suffoquait, cherchant son souffle, au bord de l'hystérie. Malgré sa résistance, l'énergumène fut jeté sans ménagement sur le trottoir. Il eut tout de même le temps de se retourner vers Isabelle et de cracher encore un peu plus de venin.

— Sale pute !

La clochette de l'entrée souligna sa sortie de scène. Le rideau retomba sur la longue silhouette maigre qui chancela un instant devant la porte avant de se perdre dans la nuit glacée.

Gino retourna à son comptoir et versa un fond d'Amaretto dans un grand verre ballon avant de venir s'asseoir près de la jeune fille. Il lui entoura paternellement l'épaule de son bras.

— Tiens, *cara*, avale ça! Ça va te faire du bien.

Isabelle avala d'un trait la liqueur ambrée et s'étrangla presque dans une quinte de toux. Sa joue était rouge vif et élançait par vagues. Elle s'apaisa un peu sous l'effet chaleureux et sucré de l'alcool.

— Qui c'était ce type, Gino? Tu le connais? Il faut appeler la police, il m'a menacée... il m'a frappée, c'est un détraqué dangereux.

Personne ne connaissait l'individu en question. On ne l'avait jamais vu dans le coin avant ce soir. L'inspecteur de police qui débarqua au Café Romana promit de faire des rondes supplémentaires dans le quartier. Il prit la déposition de la jeune fille et lui donna rendez-vous pour le lendemain, au poste, afin qu'elle consulte les albums de famille. Ce type était peut-être déjà fiché. On ne devait rien négliger... même si les chances de lui mettre la main au collet étaient plutôt minces. Des malades de ce genre, il y en avait, paraît-il, des milliers, s'attaquant sournoisement à plus faible qu'eux, profitant de l'effet de surprise, dans des circonstances où ils étaient quasi certains de n'être jamais attrapés.

Isabelle regretta furieusement le geste de Gino qui, avant toute chose, avait préféré débarrasser SON café de l'intrus, alors qu'il aurait été si simple de le garder au frais jusqu'à l'arrivée de la police. Geste spontané, erreur de stratégie ? Elle se posa tout à coup la question, sans être sûre de la réponse.

La voiture de police s'éloigna, tous gyrophares éteints. Avec cette histoire, il était plus de huit heures et la jeune fille n'avait qu'une seule hâte : retourner chez elle et se barricader dans sa chambre en bouclant tous les verrous de la porte. Le sentiment de sécurité superficielle qu'elle éprouvait entre les murs du petit café s'était volatilisé. À jamais. Isabelle ne se sentait plus chez elle au Romana.

— Tu veux que je t'appelle un taxi, *cara* ? C'est la maison qui paye.

— J'habite à côté, Gino... c'est pas la peine.

Au lieu de retourner derrière son bar, Gino alla décrocher son vieux trench dans la penderie de l'entrée et enfila ses couvre-chaussures.

— *Alora*, je te raccompagne jusqu'à ta porte. *Vieni, Bella.*

Isabelle se sentit submergée de reconnaissance. L'idée de se retrouver seule, dans la nuit noire, à la merci d'une agression sauvage la paniquait. Elle découvrait subitement la peur. Elle n'y pouvait rien. L'angoisse lui tordait les tripes dès qu'elle évoquait le regard bleu, flamboyant de haine. La peur, ce sentiment sournois, imperméable aux arguments rationnels.

Lorsqu'il prit le bras de la frêle jeune fille blonde, Gino réalisa qu'elle tremblait encore et qu'elle était bien fragile dans son manteau bleu. Elle était si vulnérable. Comme toutes ces femmes, incapables d'imaginer qu'elles peuvent être bafouées, battues ou dominées par la simple force physique d'une brute en colère. Qu'est-ce qui lui avait pris à ce type de s'attaquer à la seule personne du Café Romana qui ne pouvait lui faire rentrer ses grossièretés par un bon coup en pleine gueule s'il insistait trop. Où était la justice là-dedans ? Le respect ?

Gino soupira. La loi des gros bras existait encore, c'était un fait. Malgré tout le chemin parcouru, les filles avaient encore bien des choses à apprendre. Apprendre entre autres à se méfier, à se protéger des grandes brutes frustrées qui éprouvent un plaisir vicieux à se venger sur toutes les femmes des défaites subies auprès d'une seule, à écraser la beauté, l'intelligence et la finesse.

Gino reconduisit Isabelle jusqu'à l'escalier métallique qui s'envolait en spirale vers le second étage où elle habitait. Avant de la quitter, il l'embrassa sur la joue.

— *Ciao, Bella.* Prends bien soin de toi. Les hommes sont pas tous des salauds, tu sais...

* * *

Enfouie sous sa couette, un sac de glace sur la joue, Isabelle passa une nuit blanche, attentive au moindre bruit de la rue, à la plus petite vibration de l'escalier de fer forgé. Elle s'endormit aux petites heures du matin.

Lorsqu'elle s'éveilla, un rayon de soleil frileux faisait danser les grains de poussière au pied de son lit. L'appartement était vide. Tous les autres étaient déjà partis pour le Cégep. La jeune fille décida de s'octroyer une journée de congé. Elle téléphona à son père qui insista pour l'accompagner au poste de police. Elle refusa, consciente de l'inquiétude où elle le plongeait. Qu'est-ce que ça pourrait bien changer qu'il soit là, à la regarder feuilleter des albums de photographies à la recherche d'un cinglé ? Elle préférait être seule. Elle avait un urgent besoin de réfléchir à tout cela.

Sa joue était encore très sensible au toucher. Toute sa pommette allait virer au bleu, c'était sûr. Une chance, le type n'avait pas tapé assez haut pour qu'elle se paye un œil au beurre noir.

Assise devant un chocolat fumant, Isa réfléchissait en picorant ses tartines à la confiture. Elle se sentait très calme, d'une lucidité redoutable, analysant l'un après l'autre les éléments de sa mésaventure. Qu'éprouvait-elle au juste ? Qu'est-ce qui était le plus dur à accepter ? La douleur ? La surprise ? La haine de cet homme ? Non. Ce qu'elle ne pouvait digérer, c'était son impuissance. Elle n'avait rien pu faire pour se défendre. Elle n'avait pas réagi comme il le fallait, trop confiante dans l'illusoire sécurité du Café Romana. Elle en gardait un profond sentiment d'humiliation.

Isabelle était une fille intelligente et déterminée. Pour elle, il n'était pas question de s'écraser et de vivre constamment dans la peur. Ce n'était pas vrai que le premier abruti venu allait lui empoisonner l'existence... l'empêcher d'aller prendre un café dans un lieu public ou de se promener dans la rue. Ce n'était pas vrai que vingt centimètres et trente kilos de force brutale en plus prouvaient une quelconque supériorité. Ce n'était pas vrai qu'il fallait se laisser intimider.

Soudain, la solution lui apparut. Toute simple. Elle passait tous les jours devant une école de judo. Elle avait vu des affiches. Dès le lendemain, elle irait se renseigner sur les cours d'autodéfense. En apprenant à utiliser sa force, peut-être parviendrait-elle à restaurer sa confiance en elle ? Ça ne réglerait probablement pas tous les problèmes, mais c'était au moins un début.

***

Le temps passa. Avec sagesse, Isabelle évita de mettre tous les garçons dans le même sac et garda intacte son amitié à ses quelques copains du Cégep. Elle s'inscrivit aux cours d'autodéfense. Le jour où elle réussit à casser une planchette du tranchant de la main, elle se sentit particulièrement euphorique et referma la parenthèse sur cet épisode douloureux de sa vie. Elle ne revit jamais son agresseur et ne remit jamais les pieds au Café Romana.

MA BLONDE

L'amour fou

Cheveux bleus, pavillons de ténèbres tendues,
Vous me rendez l'azur du ciel immense et rond ;
Sur les bords duvetés de vos mèches tordues
Je m'enivre ardemment des senteurs confondues
De l'huile de coco, du musc et du goudron.

Charles Baudelaire (1821-1867)
La chevelure - Les Fleurs du mal

Ma blonde ? Elle est pas blonde du tout. C'est même tout le contraire. Elle a d'immenses cheveux noirs et des yeux de nuit claire, des mains qui bougent comme des oiseaux, un sourire habité de mystère. Elle est née au loin, dans une île dont les parfums musqués ont à jamais imprégné la peau de son cou.

Je l'ai rencontrée à la bibliothèque du Plateau. Aussi bête que ça ! Ce soir-là, il y avait une conférence sur Gabriel Garcia Marquez, un écrivain colombien que ma sœur adore. Il y avait pas mal de monde. Presque toutes les chaises étaient occupées. J'arrêtais pas de me demander ce que je fichais là. Je m'étais adossé à une colonne, tout prêt à prendre la porte si mon seuil de tolérance était mis à trop rude épreuve.

La conférence était commencée depuis une

dizaine de minutes. Je devais trouver ça intéressant puisque j'y étais encore. Enfin, je crois. Tout à coup, la porte s'est ouverte très discrètement et elle est entrée. J'ai revu ce moment si souvent dans ma tête que je peux tout raconter comme si c'était hier.

Elle portait un manteau rouge vif, un petit feutre rond et des gants en laine blanche. Elle tenait son sac à dos à la main. Elle a refermé la porte doucement, attentive à ne pas se faire remarquer par un bruit quelconque et s'est haussée sur la pointe des pieds pour voir s'il restait une place assise quelque part. À l'extrémité d'une allée, il y avait une chaise libre, pas loin de l'endroit où j'étais. Sans un bruit, avec une grâce de danseuse, elle s'est glissée le long du mur et, lorsqu'elle est passée près de moi, son étrange odeur de citronnelle m'a chamboulé aussi sûrement qu'un raz-de-marée.

Concentrée sur la causerie du conférencier, elle a sorti un cahier de notes de son sac. Elle a déboutonné son manteau et deux épaules parfaitement rondes habillées d'une soierie pâle ont émergé. J'ignore si elle m'avait remarqué mais moi, à partir de ce moment-là, j'ai plus compris un traître mot de ce qui se disait. Je ne voyais plus qu'elle.

C'est bien ça qu'on appelle le coup de foudre ! J'ai eu soudain très chaud et aussi très peur. Pendant quelques secondes, j'ai même eu envie de fuir et j'ai regardé fixement la porte mais, sans que je le veuille, mes yeux sont retournés vers elle et j'ai su que j'étais fichu.

Plus jolie qu'elle, c'est impossible ! Pourtant, ce n'est pas la beauté de son visage qui m'a attiré le plus. J'étais fasciné par la perfection de tous ses mouvements et la douceur rêveuse de ses yeux en amande. Lorsqu'elle a enlevé son chapeau, découvrant un gros chignon torsadé, la grâce de son geste m'a foudroyé et l'attente délicieuse a commencé.

Je suis resté jusqu'à la fin. Aveugle, sourd, muet et imperméable. Mais bien décidé. Cette fille, je voulais lui parler, la connaître. J'avais besoin d'elle. Je savais déjà que sans elle ma vie ne serait pas complète. Je LA voulais. Point !

Comment j'ai fait pour l'aborder ? Rien de plus facile. Lorsqu'elle s'est levée pour partir, j'ai remarqué que son chapeau avait glissé sous la chaise et qu'elle allait l'oublier. C'est sûr que je me suis précipité, que j'ai plongé sous le siège et que j'ai couru après le chignon noir englouti dans la foule qui regagnait la sortie. Lorsque ses yeux ont rencontré les miens, j'ai pas été capable de dire un seul mot. J'ai aperçu un petit grain de beauté au coin de sa bouche, juste avant son sourire. Il y avait tant de malice dans ses fossettes que j'ai tout de suite compris. Elle l'avait fait exprès, elle avait volontairement oublié son feutre. Pour me donner un prétexte. À moi ! Ça voulait dire que je l'intéressais, non ? J'ai laissé échapper un soupir de soulagement. Après, tout a été si simple.

Elle m'a invité à prendre un café au lait chez Van Houtte. J'ai dit oui. Entre elle et moi, une belle histoire se nouait et c'est comme ça qu'elle a commencé.

* * *

Au début, qu'est-ce qu'on a pu marcher dans les rues de Montréal! Je connais par cœur tous les coins de la ville et aussi tous les couloirs du métro. Elle habite dans Notre-Dame-de-Grâce et moi à Rosemont. Autant dire aux antipodes. On va même pas à la même école. Elle fréquente un chic collège privé; moi je termine ma première année de cégep à Bois-de-Boulogne. Ses parents sont plutôt riches alors que les miens ont du mal à boucler leur budget. Elle a beaucoup voyagé de par le vaste monde et je n'ai jamais quitté la Belle Province. En fait, presque tout nous sépare. Mais moi, la seule chose qui m'intéresse c'est cette subtile magie qui nous rapproche.

On savait pas trop où aller. On n'avait aucun ami commun qui aurait pu nous servir d'alibi ou d'asile, mais on s'en fichait pas mal. Au fond, on n'avait besoin de personne. On a dû visiter tous les restos pas chers, tous les centres d'achat, tous les cafés d'étudiants, tous les endroits où il fait un peu chaud et un peu sombre à Montréal. C'est pas ça qui manque. Je connaissais son horaire par cœur et j'allais l'attendre à la sortie de ses cours. Nous partions tous les deux très vite, fuyant les regards et les questions des autres, marchant et parlant durant des heures avant d'échouer dans un *fast-food* quelconque pour réchauffer nos mains et nos lèvres autour d'une tasse chaude.

Nos lèvres ! C'est dans une petite binerie crasseuse qui empestait la friture que je l'ai embrassée pour la première fois, quelques jours après notre rencontre. Elle était assise à côté de moi sur la banquette. En enlevant mon écharpe, mon coude a heurté son chignon — ma sœur dit toujours que j'ai des abattis dangereux — et le gros serpent de sa chevelure s'est déroulé au ralenti, entraînant dans sa chute une multitude d'épingles. Je suis resté sans voix. D'un geste habitué, elle a attrapé son câble de cheveux noirs et a voulu l'entortiller sur sa nuque. Je ne l'ai pas laissée faire. J'ai pris sa longue torsade à pleines mains et je l'ai tirée vers moi.

Un baiser, ça devrait jamais être banal mais quelquefois, il faut bien le dire, on le donne sans y penser, par habitude ou par politesse, entre deux portes ou entre deux bières. Ce baiser-là fut le plus doux de ma vie. Je l'espérais, j'aurais fait des bassesses pour l'obtenir. Sa bouche au goût de café me racontait sans paroles toutes les couleurs de son île lointaine et je me transformais en oiseau migrateur. Emmêlé dans ses cheveux, je planais en plein soleil, à mille lieues de cette journée d'avril où les parapluies squattaient les trottoirs, entre neige et pluie.

* * *

J'ai pas tellement envie de parler de tout le reste, des petits mensonges et des grandes cachotteries nécessaires, des parents qui capotent, des *chums* qui comprennent plus rien, des horaires souvent incompatibles, des congés solitaires et interminables. Le paradis se gagne, je le sais mieux que personne.

Presque tout de suite, j'ai mis ma grande sœur dans le coup. Elle et moi, on se comprend. Elle, qui vole maintenant de ses propres ailes et qui me prête parfois la clé de son cocon du Vieux-Montréal. Elle est pas comme les autres, toujours en train de réciter l'Apocalypse selon le sida, les maladies « bonnes-à-riennes », les grossesses non désirées et autres catastrophes qui nous pendent au sexe et qui n'ont jamais empêché personne de tenter l'abordage.

C'est là, entre les quatre murs de son petit studio que nous nous sommes retrouvés, seuls, par une soirée de canicule de juillet. Dehors, le Festival de Jazz battait son plein. Beau prétexte, mais on avait une tout autre musique en tête. Ma sœur était partie pour la fin de semaine, je sais pas où, et avec un petit air de rien, elle m'avait demandé d'aller nourrir son poisson rouge. Tu parles ! Quelques heures à nous, dans un endroit clos. On avait tellement attendu.

Je me souviens. Sur le comptoir, un rayon de soleil attardé transformait un plat de fruits multicolores en nature morte. Des géraniums montaient la garde à la fenêtre et on apercevait le

Quai de l'Horloge entre deux ondulations du rideau. Sur la table de nuit, bien en évidence, une grosse boîte de Ramses nous invitait à passer aux actes. Subtile, très subtile ma sœur! Une vague de gêne m'a submergé et je suis resté figé là, paniqué comme un imbécile.

Elle a refermé la porte derrière moi. J'ai entendu le cliquetis des clés dans la serrure. Puis, elle a marché jusqu'à la fenêtre pour refermer le rideau. Les épingles de son chignon ont tinté une à une dans une coupe de verre. La fermeture éclair de sa robe a gémi. Lorsque je me suis retourné, elle était entièrement nue, ses longs cheveux rejetés en arrière, et ses yeux en amande me caressaient.

À cet instant précis, j'ai regretté de n'être pas tout neuf, d'avoir déjà goûté quelques sourires, quelques parfums, quelques jouissances aiguës qui me servaient de références et de comparaisons... mais j'avais encore rien vu. Elle en savait plus que moi et sentit l'étrange peur qui m'habitait, peur qui touchait de près la tristesse. Nous étions encore en pleine innocence. Dans quelques minutes, quelques heures, plus rien ne serait pareil. Moite et glacé dans la canicule, j'ai eu envie de dévaler l'escalier sans retour mais ses yeux de braise m'aidaient à tenir debout.

Le désir me rejoignit dès qu'elle posa les doigts sur moi. Elle glissa ses mains sous ma chemise. Mes jeans tombèrent à mes pieds. De sa paume, elle me poussa vers le lit, sans me quitter des yeux et je tombai en l'entraînant dans ma chute. Au loin, j'entendais distinctement le solo d'une batterie et la folie de son rythme ensorcela tous les nerfs de mon corps.

Ce fut une fabuleuse chevauchée dans un pays dont j'avais à peine franchi le seuil. Sa peau d'ivoire bruni contre mes taches de rousseur, ses petits seins haut perchés polis par la sueur, ses cuisses nerveuses contre mes hanches, ses cheveux d'ébène qui nous habillaient de soie mouvante... comme je l'ai aimée ma belle amazone dont l'ombre caracolait sur le mur de la chambre. Pas un espace de son corps que je n'ai senti, caressé, goûté. Pas une expression de son regard de feu qui n'ait reçu une réponse. Pas une modulation de sa musique intime qui n'ait trouvé son écho en moi.

Le plaisir me jeta hors de moi-même. Je n'avais jamais rien connu d'aussi déchirant. J'étais noyé, foudroyé par tant d'intensité. Le temps de quelques battements de cœur, j'étais mort à tout ce qui n'était pas cette marée grandiose qui me poussait vers elle, sans respirer. Lorsque j'ai refait surface pour reprendre mon souffle, j'étais vraiment à nu, fragile comme un nouveau-né et j'aurais été à jamais meurtri si elle s'était moquée.

* * *

Cette nuit-là, j'ai tout partagé avec elle, le silence et les rires, le plaisir et la nostalgie, la

douceur et l'urgence, les larmes et le miel, la folie·
et le sommeil. Cette nuit-là, j'ai appris que
l'amour était un sentiment complexe, bien plus
bouleversant que je le croyais.

Comment j'aurais pu le savoir ? Personne ne
m'avait prévenu. Je sais, je sais. On commence
dès la petite école à nous enseigner « le système
reproducteur » des hommes et des femmes, à
grand renfort de schémas en couleur. Sans doute
que c'est nécessaire. Mais ces quelques notions de
plomberie ne repoussent pas beaucoup les limites
de notre ignorance. Ensuite, les mises en garde
nous pleuvent dessus avec des noms de fleurs
vénéneuses : sida, chlamydia, hépatite, syphilis,
salpingite, condylomes et j'en passe... et on tombe
quand même dans le panneau. La chronique
rabâchée de multiples catastrophes annoncées ne
fait pas le poids face à l'instinct d'aimer.

L'amour n'est pas un jeu innocent. On le sait.
Attention, danger, précautions, pilules, condoms.... On nous parle que de ça. C'est sûr que
c'est débile de pas être à la hauteur de ses respon-
sabilités. Ceux qui refusent ou oublient de prendre des précautions sont des imbéciles dangereux.
Mais tout ça, c'est de la technique, rien que de la
technique. Il faut l'intégrer, l'utiliser mais pas se
laisser bouffer par elle. L'essentiel est ailleurs.

Moi, j'aurais aimé ça qu'on me dise que c'est
bon de faire l'amour et que ça rend meilleur... et
que ça rend plus beau... que la baise et la passion
sont aussi différentes l'une de l'autre qu'une

« peinture à numéro » et une toile de maître...
qu'on a le droit de faire des erreurs et de se
reprendre, bien sûr... mais qu'on ressort à jamais
grandi d'une histoire d'amour. Au-delà des objec-
tifs pédagogiques et du désir légitime de nous protéger, les adultes ont complètement oublié de
nous parler du bonheur d'aimer.

J'aurais aimé ça qu'on me dise qu'aimer c'est
se mettre en danger... que c'est accepter la souffrance... qu'un éloignement, un désamour, une
petite ou une grande mort nous sépareront un
jour l'un de l'autre et que la vie prendra alors un
goût de cendres.

J'aurais aimé qu'on me dise tout ça, pour
mieux rêver, pour avoir moins peur et moins mal
de grandir, pour que l'avenir prenne une autre
couleur. Ça n'aurait rien changé à l'émerveillement de cette nuit-là. L'expérience vécue est
impossible à transmettre. C'est comme lire une
recette dans un livre de cuisine et déguster le plat
décrit. Aucun rapport !

J'aurais tant aimé qu'on me parle de tout ça...
qu'on me prévienne !

* * *

Elle s'est levée la première. Moi, je serais bien
resté des jours dans ce lit froissé. Elle a pelé une
orange dont je lui ai volé quelques lunes rousses.
Devant la fenêtre ouverte, elle a tressé ses cheveux en regardant les reflets de l'aube enflammer

le Vieux-Port. J'ai retapé le lit. J'ai jeté les condoms qui traînaient par terre et j'ai replacé la boîte de Ramses, bien en évidence, là où je l'avais trouvée, un siècle plus tôt. Et en donnant double ration de paillettes au poisson rouge, j'ai murmuré un tendre merci à ma sœur.

Quand j'ai refermé la porte, j'ai su que j'étais plus le même. Ma vieille peau d'adolescent se desséchait quelque part entre ces quatre murs. J'étais devenu un homme. Tout simplement.

Nous sommes sortis dans la fraîcheur trompeuse du petit matin, étroitement serrés l'un contre l'autre, sans parler. Ses cheveux avaient gardé mon odeur et je me sentais fou d'allégresse. Nous avons marché longtemps avant de nous arrêter dans un Dunkin'Donuts dont l'odeur de café chaud nous avait piégés. Je l'ai reconduite jusqu'au métro. L'ombre du couloir l'a aspirée et je me suis retrouvé seul, frissonnant dans le soleil, réalisant brutalement que son absence me conduisait au bord de l'asphyxie. J'ai tout de suite recommencé à l'espérer. Elle me manquait tellement que j'en avais mal jusque dans les os. Ensemble, le bonheur et la détresse, ça fait tout de même un drôle de mélange !

* * *

Paraît qu'on a de la chance. Que des histoires comme la nôtre sont plutôt rares par le temps qui court. J'en sais rien mais j'ai comme l'impression que ça peut arriver à n'importe qui, n'importe quand, au moment où on s'y attend le moins. Faut pas être pressé. Faut pas être impatient. Quand ça nous tombe dessus, faut oser se laisser aller, sans résistance et sans égoïsme. Faut surtout pas avoir peur de souffrir. Le chagrin est une autre façon de se sentir vivant, une autre façon de savoir ce qu'on vaut. Et quant au bonheur...

Je sais pas combien de temps va durer mon amour. Je le vis un jour à la fois en priant pour qu'il dure longtemps. L'hiver est revenu pâlir les joues de miel de mon amoureuse, mais j'ai appris à la réchauffer.

Ma blonde ? Elle est pas blonde du tout. C'est même tout le contraire. Elle a de longues jambes de pur-sang javanais, des yeux d'ambre qui donnent la fièvre, des baisers ardents comme les volcans de son île. Je l'aime, elle m'aime et y'a rien d'autre à dire.

LE PIANO DE MARIANNE

La trahison

À Marie-Catherine,
pour sa musique.

Il pleure dans mon cœur
Comme il pleut sur la ville ;
Quelle est cette langueur
Qui pénètre mon cœur ?…
C'est bien la pire peine
De ne savoir pourquoi
Sans amour et sans haine
Mon cœur a tant de peine !

Paul Verlaine (1844-1896)
Ariette

Frédéric monta quatre à quatre l'escalier extérieur. La musique de Marianne l'assaillit dès qu'il ouvrit la porte. Encore Chopin ! On était en pleine période romantique et — une fois de plus — le piano déversait son déluge de notes dans les oreilles agacées de l'adolescent.

Il ne comprenait pas sa mère… ou, pour être plus exact, ses choix musicaux qu'elle s'acharnait à imposer à toute la maisonnée. Elle n'avait pourtant rien d'une virtuose et s'entêtait à jouer des valses trop rapides où elle butait régulièrement, toujours aux mêmes endroits. Frédéric retint son souffle. Le crescendo diabolique arrivait. Marianne allait-elle réussir à surmonter la difficulté ? Non ! Les doigts trébuchèrent, à la même place que d'habitude. « Elle s'est encore plantée ! » pensa-t-il.

Il en avait ras-le-bol. Depuis que Marianne avait renoué avec sa passion de jeunesse pour le piano, il n'y avait plus moyen d'écouter quelque chose de sensé dans cette maison. Chopin ! Je vous demande un peu. Qui pouvait avoir encore envie, à la fin du deuxième millénaire, de se taper les élucubrations musicales démodées d'un dandy tuberculeux, mort depuis des siècles ?

Frédéric s'effaça pour laisser entrer Joannie. La grande jeune fille s'arrêta sur le pas de la porte pour écouter les rafales de notes qui s'évadaient de ce que Marianne appelait pompeusement son studio de musique. Frédéric se sentit obligé de fournir une explication.

— C'est ma mère qui joue. Elle *trippe* sur Chopin. C'est même à cause de ça que je m'appelle Frédéric.

— Elle se débrouille bien ta mère. C'est pas mal difficile ce qu'elle joue.

— Tu connais Chopin, toi ?

— Ben oui, je fais du piano classique depuis que j'ai six ans. Tôt ou tard, on se casse tous la figure sur les arpèges du grand Frédéric...

— À petites doses, c'est peut-être endurable, mais là, tu vois, ça fait plus de trois mois qu'on n'entend pas autre chose dans la maison. Dès que ma mère embraye sur une valse, je fais une crise d'urticaire mentale et je deviens dingue !

Joignant le geste à la parole, Fred sortit la langue, se mit à loucher comme un débile et attrapa le bras de Joannie en poussant des grognements inarticulés. La jeune fille sourit et se laissa entraîner vers la chambre de son copain dont l'épaisse porte de chêne les libéra de ce que Frédéric considérait comme le comble du délire musical.

* * *

Frédéric était perplexe. Il ne comprenait vraiment pas pourquoi Joannie l'avait choisi, lui, pour faire sa recherche en sciences. Elle aurait pu faire équipe avec Joseph Bissonnette, le bollé de la classe dès qu'il s'agissait de bibittes à poil ou à plumes... ou encore avec le grand Leroux qui bavait comme un enfant devant un gros cadeau de Noël dès qu'il la regardait et qui se serait fendu en quatre pour éplucher la moitié de la bibliothèque.

À seize ans, Joannie était une des beautés de la polyvalente. Un sourire éclatant, une épaisse tignasse rousse bouclée, des yeux bleus très clairs protégés par des petites lunettes d'intello... elle n'avait même pas à lever le petit doigt pour qu'on la remarque. Elle faisait partie de ces fleurs rares qui s'épanouissent à l'adolescence et découvrent, en quelques semaines de printemps, tout l'arsenal de séduction des femmes. Pas d'acné, pas de jambes, de mains ou de pieds disproportionnés, pas d'hésitations existentielles... Joannie semblait avoir traversé les affres de l'âge ingrat sans un plissement d'incertitude sur son front pur. C'était probablement pour ça qu'elle n'avait pas beaucoup de copains à la poly. Elle était assez solitaire et on ne l'avait jamais vue avec un ami de cœur. Ça faisait jaser. Serait-il possible que lui, Frédéric, ait réussi à faire vibrer une corde secrète ?

« Bon, revenons à nos moutons... ou plutôt à nos loups, se dit Frédéric. *Apparence, vie de famille, mœurs et particularités des loups de l'Arctique* », et puis quoi encore ? Un manteau de fourrure avec ça ? »

Assise en tailleur sur le futon, Joannie était plongée dans un bouquin et prenait des notes sur un calepin. Fred avait introduit un disque compact dans son ordi. La voix chaude et rude de Kevin Parent habitait la petite chambre, repoussant les arabesques démodées de Chopin dans les limbes du passé. Le soir tombait sur une petite neige fine et le cône bleu de la lampe halogène emprisonnait des reflets de nuit dans la crinière flamboyante de la jeune fille. Frédéric était troublé. Est-ce que ça commençait ainsi l'amour ? Cette harmonie fragile, cette douceur précieuse et confortable, aussi impalpable que la fumée d'une cigarette... oui... c'était peut-être ça...

* * *

Frédéric coupait des légumes pour la salade. Marianne était redescendue sur terre et préparait les ailes de poulet. Ils se taisaient tous les deux, attentifs au violon fou de Stéphane Grappelli et aux cascades de rires qui s'échappaient du salon.

Frédéric avait invité Joannie à partager leur repas en sachant que Marianne était toujours partante pour ces petites invitations de dernière minute qui lui permettaient de rencontrer les amis de son fils. La plupart du temps, le père de Fred n'était pas là, retenu par d'obscures réunions ou prisonnier d'une multitude de copies à corriger dans sa classe. Mais ce soir-là, il leur avait fait la surprise de rentrer plus tôt... et dès qu'il avait aperçu Joannie, son regard avait changé.

D'ailleurs, toute l'atmosphère de la maison avait changé. Le beau professeur Hamel qui enseignait les mathématiques en cinquième secondaire à la polyvalente que fréquentait son fils, avait redressé les épaules, rentré son début de bedaine, essayé d'effacer par un sourire les quelques rides de sa bouche et s'était mis en chasse.

André Hamel aimait passionnément les femmes et ses bonnes fortunes ne se comptaient plus. Frédéric connaissait la réputation de cavaleur de son père mais, curieusement, cela restait pour lui quelque chose d'abstrait. Il n'en avait jamais souffert, cela ne le concernait pas. À la maison, c'était un sujet qu'on évitait. Ses parents vivaient toujours ensemble et semblaient avoir trouvé une façon civilisée d'accorder leurs divergences. Plus d'une fois, Frédéric s'était demandé si Marianne était au courant.

Le jeune homme regarda sa mère qui disposait des biscuits sur une assiette. Elle était petite et boulotte, sans rien de remarquable. Ses cheveux grisonnants poussaient à la diable, en petites boucles courtes. Son visage était encore jeune, fatigué et tendre, avec des yeux dorés expressifs et mélancoliques. Elle assumait ses quarante et quelques années avec une intense sérénité, comme si le poids de la vie n'avait pas le pouvoir de la déranger. Frédéric aimait sa mère pour cette solidité sans faille sur laquelle il pouvait compter aveuglément.

Bouche lumineuse, yeux transparents, tignasse de feu... le visage de Joannie apparut en surimpression sur celui de Marianne et envahit tous les espaces de rêves de Frédéric. Le charme était une bien étrange chose. Où se logeait-il exactement ? Dans le creux d'une fossette, la courbe parfaite d'un cou, la musique d'un rire, la blancheur nacrée de la peau, aperçue dans l'échancrure d'un chandail ? Devant tout cet éclat, cette débauche de dons du ciel qui confinait à la perfection, la paix de Marianne n'avait aucun pouvoir.

* * *

Pendant tout le repas, le professeur Hamel avait monopolisé la conversation. Fred l'avait rarement vu aussi en forme. Il avait essayé plusieurs fois de prendre la parole mais les envolées verbales de son père semblaient faites au bénéfice exclusif de Joannie. Il parlait de tout et de rien, étalant sa vaste culture en tartines superficielles. Marianne ne disait rien et pétrissait des petits dés de mie de pain qu'elle rangeait à côté de son verre. Joannie écoutait avec une attention soutenue le bel homme qui pérorait pour elle et aiguillait habilement la conversation.

Frédéric finit par se taire. Comme Marianne. Il comprenait enfin la stratégie de Joannie. En le choisissant comme coéquipier, elle avait habilement manœuvré pour s'introduire dans sa famille et s'était servi de lui comme d'un pigeon. Et s'il s'était laissé aller à croire qu'elle pourrait peut-être le préférer aux autres, il devait se rendre à l'évidence : c'était son père, André Hamel, qui l'intéressait. Pas lui. Elle aimait les vieux !

Pour la première fois de sa vie, le jeune homme sentit que son monde pouvait basculer. Sans le savoir, ou en choisissant de l'ignorer — ce qui revenait au même — son père se posait en rival et changeait les règles tacites qui avaient toujours protégé leur équilibre familial. Frédéric fut submergé par une étrange amertume. Devant l'élégante silhouette de son père et son profil d'artiste incompris, il ne faisait pas le poids, lui non plus. Entre la salade et le fromage, plusieurs vagues de tristesse noyèrent ce qui lui restait de voix.

D'une petite phrase à l'autre, Joannie finit par en arriver où elle voulait. Il fut alors question de ses difficultés en maths et des examens de fin de session qui arrivaient au pas de course. Le professeur pourrait-il lui donner quelques conseils ?

Ou encore la référer à quelqu'un pour des cours particuliers ? La salope ! L'invitation était à peine subtile. Le chat était enfin sorti du sac. Fred n'en revenait pas. C'était impossible que son père s'y laisse prendre.

André souriait. Il avait compris depuis longtemps. Il connaissait le danger, mais c'était plus fort que lui. Rien ne l'excitait davantage. Cette belle pouliche à la crinière rebelle, qui dévoilait son jeu avec tant d'impudence, valait bien qu'on prenne quelques risques. Un éclair de plaisir sauvage éclaira son regard lorsqu'il suggéra à la jeune fille de venir le rencontrer à son bureau, un jour prochain, pour démêler tout ça.

* * *

Joannie était sur le point de partir. Elle avait remercié Marianne et Frédéric de leur hospitalité, avec un sourire qui en disait long sur son indifférence. André avait proposé de la reconduire. Elle avait refusé. Il avait insisté. Elle avait fini par accepter. Il l'accompagna jusqu'à la porte et l'aida à enfiler son manteau.

De la cuisine où il rinçait les verres, Frédéric vit tout, très nettement. Son père se pencha vers Joannie. Elle se colla, dos au mur, emprisonnée dans l'espace clos des deux bras d'André, tendus au-dessus d'elle comme un toit. Le professeur avança son genou entre les deux longues cuisses de la jeune femme et l'embrassa très vite sur le

coin de la bouche. Cela ne dura qu'un instant...
intolérablement long. Entre eux, la tension
devint presque palpable. Sous le globe de l'entrée,
une boucle de cheveux échappée du béret dessina
un point d'interrogation sur le front de la belle
fille... et la porte claqua sur leur silence.

Marianne avait tout vu, elle aussi. Elle
s'appuya contre le frigo, ferma les yeux un instant
et courut se réfugier dans son studio. Frédéric était
bouleversé. Le tendre visage qu'il aimait était
brisé par la défaite, sculpté dans la vieillesse
proche et le renoncement.

Mais soudain, il y eut le piano de Marianne,
la musique de Marianne, la magie de Marianne.
Elle jouait une mélodie très lente, très douce, que
Frédéric ne connaissait pas. C'était une étrange
musique, infiniment triste, dont chaque note
martelait le cœur. C'était comme un jardin
dévasté par l'orage, une source emmurée qui
n'aurait que des notes pour s'épancher. C'était
tout le tragique d'une sensibilité incomprise, le
poids d'une vie trop exigeante pour les amours
triviales. C'était le chagrin à l'état pur, exprimé
dans toute sa solitude, aveugle et sourd à toute
présence.

Frédéric écoutait. Cette musique racontait sa
détresse. C'est ainsi qu'il l'interprétait. Elle disait
exactement ce qu'il ressentait, mieux qu'il
n'aurait jamais pu l'exprimer lui-même. La
mélodie était belle, apaisante comme une pluie de
printemps. Au-delà de la douleur, il y avait la paix

et la certitude que toute expérience humaine a un sens. Toute forme d'art se nourrit d'émotions. L'homme qui avait écrit cette mélodie avait su endiguer toutes ses débâcles et les transformer en eaux vives, propres à soigner et à consoler les âmes. Au-delà des époques et des modes, cette musique faite de souffrance et d'espoir était universelle. Elle rejoignait toutes les blessures. À n'en pas douter, ce musicien était un génie.

Lorsque la musique s'arrêta, Frédéric se sentit un peu mieux. Son fardeau s'était allégé. Il entra dans le studio de musique. Les doigts immobiles sur les touches, les yeux fermés, Marianne écoutait les derniers échos de la mélodie mourir en elle. Libéré de toute peine, son visage avait retrouvé cette liberté joyeuse qui rassurait tant son fils.

— C'était beau, m'man ! C'était quoi cette musique ?

— *La sonate au Clair de lune*... l'adagio... Beethoven...

— Tu sais, j'me sentais exactement comme ça. Et pendant que tu jouais, j'avais l'impression que ce type avait écrit cette musique juste pour moi.

— Je sais, mon amour, je sais...

— Tu trouves pas que c'est un peu étrange ? Qu'on puisse communiquer des émotions aussi intenses... sans avoir besoin de mots ?

— La musique va droit au but, mon grand. Elle n'a pas besoin de mensonges et ne trahit que ceux qui ne savent pas écouter.

* * *

La porte d'entrée claqua. André était de retour. La parenthèse magique se referma. Marianne fouilla dans ses partitions et, d'un accord énergique, attaqua une mazurka. Chopin, l'incontournable ! Fred sourit à sa mère et regarda ses doigts sur les touches. Sa toute récente expérience le rendait indulgent. Dans cette musique-là aussi, il y avait peut-être quelque chose à découvrir. Il se concentra mais se sentit encore très loin d'une compréhension généreuse envers ce délire de notes. Au-delà de la virtuosité, il crut cependant déceler quelques accents de passion... une énergie endiablée et fragile... une sorte d'urgence... Oui, la musique explorait à fond tout le registre des sentiments humains, et c'était valable pour toutes les sortes de musique... même pour Chopin !

Marianne jouait toujours, les yeux perdus, entièrement possédée par l'histoire que ses doigts racontaient. Frédéric comprenait enfin d'où elle tirait sa force. Elle sourit à son fils et il sut avec certitude que pour lui, juste pour lui, elle trouverait encore le courage d'essuyer quelques fausses notes.

UN CADEAU
POUR SARAH

Le chagrin

À la tendre mémoire
de Marcel et de Mathieu.

Mais toi tu es bien morte et moi je suis bien seul
Je suis mal amputé j'ai mal j'ai froid je vis
En dépit du néant je vis comme on renie
Et si ce n'était pas pour toi qui as vécu
Comme un être parfait comme je devrais être
Je n'aurais même pas à respecter nos ombres.

Paul Éluard (1895-1952)
Ombres

Olivier lâcha brusquement sa raquette et trébucha sur la surface synthétique du court. La douleur coulait de son coude à son épaule comme un ruisseau de feu. Il éprouva une sorte de vertige et pendant une toute petite seconde, il eut l'étrange sensation de se trouver sur le bord d'un entonnoir de ténèbres.

À l'autre bout du tennis, Sarah avait vu son ami grimacer et crisper sa main sur son épaule. Encore cette tendinite ! Olivier ne pouvait plus soulever son sac d'école ou un dictionnaire sans éprouver cette douleur lancinante au bras. Jouer au tennis devenait une épreuve de force. Orgueilleux comme il l'était, le jeune homme s'entêtait mais le dragon de feu gagnait les matches de plus en plus vite.

Sarah traversa le terrain en courant et entraîna son ami vers le banc où ils avaient éparpillé le contenu de leur sac. Olivier s'affala en soupirant et leva la tête vers le ciel. Le soleil jouait une symphonie de notes de lumière dans la frondaison des vieux érables. L'air était tiède et embaumé du parfum des lilas et les oiseaux chantaient en stéréophonie dans le petit parc tranquille d'Outremont. Des gouttes de sueur roulaient sur le front d'Olivier. La douleur s'apaisa comme une vague qui reflue.

Sarah savait qu'il ne fallait surtout rien dire. Elle regarda les yeux clairs de son ami et y vit un reflet sombre qui ressemblait à l'envers de la vie. Sans pouvoir se l'expliquer, elle sut avec certitude qu'une succession de jours tristes s'en venaient. Elle regarda l'éclat du ciel bleu, la douceur de ce printemps ensoleillé et son cœur se brouilla.

— Dès demain, tu retournes voir le chiro ! Ça peut plus continuer comme ça !

Exactement ce qu'il ne fallait pas dire, mais c'était sorti tout seul. La jeunesse trouvait toujours les mots pour dissiper l'angoisse. Agir, c'était déjà un pas vers la guérison, non ? Olivier se leva, furieux. Sans rien dire, il rassembla ses affaires et traversa la rue pour retourner chez lui.

* * *

Sarah et Olivier se connaissaient depuis toujours. Ils s'aimaient d'amour depuis toujours. Personne ne se souvenait de leur première rencontre mais leurs mères racontaient en riant qu'ils avaient échangé leur premier baiser dans le carré de sable du parc Joyce, juste à côté des balançoires. Le coup de foudre de leur petite enfance ne s'était jamais démenti. Ils étaient allés à la même garderie, à la même école primaire, toujours dans la même classe, inséparables comme les deux ventricules d'un même cœur.

À quinze ans, ils allaient à la même polyvalente mais n'étaient plus dans la même classe. Sarah était superbollée en maths et on l'avait fortement encouragée à suivre un programme enrichi alors qu'Olivier excellait surtout en français et s'occupait activement du journal étudiant de l'école. Ils avaient les mêmes goûts, partageaient les mêmes loisirs et se comprenaient sans avoir besoin de se parler.

Un jour, après leurs études, ça ne faisait aucun doute, ils se marieraient pour continuer leur bonheur au quotidien... pour chérir des enfants à eux... et rebâtir le monde à leur manière. Ils n'avaient pas encore fait l'amour ensemble. Rien ne pressait. Ils avaient toute la vie devant eux et toutes les certitudes des gens qui s'aiment.

Seulement, il y avait cette tendinite !

* * *

Olivier suivit les conseils de Sarah. Après plusieurs visites chez le chiro, la situation ne s'améliora pas. Au contraire. Ce n'était pas une tendinite. La douleur têtue s'infiltrait sournoisement jusque dans sa poitrine et bloquait sa respiration. Le jour où il sentit ses jambes s'engourdir, ses parents paniqués l'emmenèrent d'urgence à Sainte-Justine.

Et la ronde folle des visites aux médecins et aux spécialistes commença. Personne ne trouvait de quoi souffrait Olivier. De tests en scanners, en examens multiples et en prélèvements divers, il apprit à reconnaître tous les couloirs du grand hôpital, tous les petits personnages peints sur les murs, toutes les boîtes de jouets des salles d'attente, toutes les vieilles revues qui traînaient sur les tables... presque tous les sourires des infirmières.

Olivier vivait dans une bulle. Curieusement détaché du reste du monde, il attendait et se laissait faire avec une docilité qui surprenait tout son entourage. Les calmants avaient fait leur travail. Il ne souffrait pas mais ses jambes devenaient paralysées un peu plus chaque jour. Dans l'attente du diagnostic qui apporterait sûrement une explication, il était serein et se gorgeait d'émissions télévisées stupides, incapable du moindre effort intellectuel. Engourdi au physique comme au moral, il économisait son énergie au maximum, pressentant qu'il aurait besoin de toutes ses forces dans un avenir proche.

Du côté de Sarah, c'était l'enfer! Pour la première fois de sa vie, elle se sentait seule. Olivier était inaccessible. Depuis le jour où il avait posé les pieds dans ce maudit hôpital, la communication qui avait toujours été si évidente entre eux, avait été comme abolie. Il y avait un *bug* quelque part, mais où ?

Elle se battait courageusement contre cette chose innommable qui lui volait son amour. Elle venait le voir chaque jour, essayant désespérément de le garder au monde en lui parlant de l'école, des copains, des recherches et des exercices à faire. Parfois, elle captait une étincelle. Pas longtemps. La plupart de ses efforts se noyaient dans l'apathie qui flottait dans les yeux d'Olivier.

Et Sarah pleurait lorsqu'elle était seule, lorsqu'elle se sentait dépassée par la situation, lorsqu'elle imaginait les jambes d'Olivier immobiles sous les draps, lorsque tous les appareils brillants et efficaces de l'hôpital s'avéraient impuissants à trouver le mal mystérieux.

* * *

Après deux mois de cette folie sournoise, le verdict tomba. Car c'était bien un verdict, une condamnation à mort ou quelque chose d'approchant. Olivier souffrait d'une « tumeur primaire neuroectodermique », un cancer rarissime et très agressif du système nerveux central. C'était une maladie tellement rare qu'on avait appelé à la rescousse plusieurs oncologues des États-Unis afin de l'identifier. La tumeur se développait dans la colonne vertébrale du jeune homme, ce qui expliquait sa paralysie progressive. Les explications des médecins étaient enrobées de termes techniques affolants que Sarah essayait désespérément de comprendre en consultant les dicos de médecine et en assommant son entourage avec ses questions.

Parfois, elle fermait simplement les yeux et elle voyait avec précision une espèce de petite pieuvre mauve qui resserrait une à une ses tentacules autour de la colonne vertébrale d'Olivier, se nourrissant de toute son énergie. Il fallait au plus vite enlever cette cochonnerie de vampire, la brûler, la neutraliser avec des médicaments, la tuer, quoi... FAIRE QUELQUE CHOSE !

Olivier était sous le choc. Tellement sonné qu'il ne réagissait même plus. Recroquevillé dans son lit d'hôpital, il dormait la plupart du temps ou fixait le carreau bleu de la fenêtre, ignorant ceux qui venaient le voir, sourd et aveugle à tout ce qui n'était pas son désespoir. Il refusait tout en bloc : sa maladie, l'opération urgente et nécessaire, les traitements de chimio et de radio qui suivraient, l'angoisse de ses parents, les caresses de Sarah qui faisait le siège autour de son lit et essayait, par tous les moyens, de le sortir de son mutisme.

Qu'est-ce qu'elle pouvait comprendre à tout ça, Sarah ? Elle avait encore l'usage de ses deux jambes, elle ! Elle pouvait profiter de cet été merveilleux qui lui était enlevé. Lui, il vivait désormais reclus dans un autre monde, hanté par des machines et des docteurs en blouse blanche. Il avait basculé ailleurs, dans le silence aseptisé de la maladie. Leurs réalités quotidiennes ne se rejoignaient plus.

Un jour pourtant, Olivier se réveilla. Ses yeux se posèrent sur Sarah. Il reconnut l'amour dans son sourire, admira sa gracieuse silhouette de fille en fleur et le désir de la retrouver l'envahit. Le goût de vivre remonta à la surface et il accepta enfin de se battre. Opération, réadaptation, traitements, médicaments... on allait voir ce qu'on allait voir. Ce n'était pas vrai que la pieuvre mauve allait l'avoir si facilement.

L'opération fut un demi-succès. Le chirurgien n'avait pas réussi à enlever la tumeur au complet. Trop risqué d'amocher la moelle épinière. Mais il y avait d'autres façons d'en venir à bout. Des séances de radiothérapie la firent fondre comme un morceau de beurre dans une poêle. Olivier retrouva petit à petit l'usage de ses jambes et le jour où il fut capable de marcher sur toute la longueur d'un couloir, au bras de Sarah, il fut quasiment sûr d'avoir gagné la partie.

À Noël, il connut un répit. On le renvoya chez lui. La vie avait l'air presque normale. Le sapin, la famille, Sarah qui campait à côté de son lit, l'espoir comme un gros cadeau offert... Pendant quelques jours, il essaya d'oublier.

Mais ce n'était pas si simple. La pieuvre n'était pas tout à fait morte. Elle vivait encore, en fractions infimes, regroupant ses bataillons de cellules cancéreuses, prête à monter à l'assaut à nouveau. On allait essayer d'en venir à bout en injectant par voie intraveineuse des médicaments chimiques puissants. Mais il y avait un revers à cette bataille. La chimiothérapie tuait aussi les cellules saines et entraînait des effets secondaires très désagréables. Olivier perdit tous ses cheveux en quelques jours. Son grand corps se transforma : boursouflé à certains endroits, décharné à d'autres. Une colonie d'ulcères prit possession de sa bouche, l'empêchant d'avaler quoi que ce soit. Il avait constamment mal au cœur et se sentait épuisé au plus minime effort.

Sarah ne baissait pas les bras. Elle se battait, elle aussi, cherchant à soulager son ami avec des petits riens, partagée constamment entre le chagrin et la colère, affreusement consciente de vivre en marge d'un autre monde. Quelquefois, elle souhaitait tomber malade afin de partager les misères d'Olivier dans toute leur réalité, et le lit à côté du sien. D'autres fois, lorsqu'elle regardait son teint rose et ses cheveux brillants dans le miroir de sa chambre, elle remerciait le ciel pour cette insolente santé qui allait de soi avec la jeunesse. Et elle s'en voulait. Elle n'arrêtait pas de s'en vouloir d'être en pleine forme alors qu'il était malade, d'être belle alors qu'il était enlaidi, d'être si vivante et si forte alors que lui... C'était si injuste, si cruel de n'être que spectatrice, de ne pas pouvoir s'approcher davantage de la tragédie.

Elle avait lu quelque part que le rire est une des meilleures thérapies qui soient. Dès qu'Olivier se sentait un petit peu mieux, elle arrivait avec une pile de vidéos comiques sous le bras pour entraîner son *chum* dans une farandole de joie. Et la petite chambre aux murs verts résonnait de leurs rires… comme au bon vieux temps, si proche et si lointain à la fois.

* * *

Olivier et Sarah se bagarrèrent contre la pieuvre pendant une année entière. Il y eut quelques semaines de rémission, quelques jours bénis dans un chalet des Laurentides près d'un lac givré par l'automne, quelques petites marches apaisantes dans les feuilles d'or.

Sarah se permit même de faire quelques projets d'avenir. Olivier souriait sans rien dire en caressant les beaux cheveux de son amoureuse. Plus que tout au monde, il aurait aimé faire l'amour avec elle au milieu de ce paysage de carte postale, mais il en était physiquement incapable, trop affaibli par les médicaments. Assis sur la grande galerie, il regardait inlassablement les volées d'outardes qui jacassaient leurs espoirs vers le sud et il se sentait presque prêt, lui aussi, pour une grande migration. Très étrange. C'était lorsqu'il était presque bien qu'il sentait la vie lui échapper davantage… comme si le bien-être qu'il éprouvait lui faisait mesurer tout ce qu'il avait déjà perdu.

À d'infimes petits riens, Sarah décelait que son ami décrochait, qu'il s'en allait à petits pas. Étouffant sa révolte de bien-portante, elle se demandait comme elle allait faire, elle, pour l'accepter. Elle ne savait à qui exprimer sa détresse. Olivier avait été son seul confident, son alter égo, son complice. L'espoir et l'amour pouvaient-ils encore exister sans lui ? Elle n'osait même pas imaginer l'océan de solitude qui l'attendait.

Avant, Olivier n'avait jamais eu le temps de penser à la mort. C'était tellement loin tout ça. Mais depuis qu'il était malade, il avait largement eu le loisir d'y revenir et de s'en faire une idée. Au début, dans ses crises de panique intense, il voyait la mort comme une dérobeuse de vie, sorte de grande ombre menaçante, effrayante et cruelle. Mais cette image intérieure avait évolué. Lorsqu'il regardait son corps amaigri et bouffi, que la douleur se riait des calmants et lui arrachait des larmes, que le plus petit geste quotidien — comme aller aux toilettes ou manger seul — devenait un exploit, il sentait que la mort prenait une autre dimension. La silhouette sombre se transformait, devenait une sorte de porte, sur autre chose… et quand la porte s'ouvrirait, tout ce cirque infernal serait fini. La pieuvre aurait enfin perdu.

Olivier voulait bien se battre jusqu'au dernier moulin mais son âme de Don Quichotte se fatiguait de plus en plus vite. Il lui restait encore deux combats à mener : vaincre totalement sa peur et gagner la certitude qu'au-delà de la porte, toute cette souffrance prendrait un sens. Il avait presque trouvé Dieu, peu importe le visage qu'on lui donne.

Pourtant, lorsqu'il regardait Sarah, le regret lancinant de ce qui aurait pu être l'enfermait dans un mutisme désespéré. Il rêvait sur sa peau douce, ses lèvres, son subtil parfum de brune, ses longues jambes de sportive, l'ombre et la lumière qu'il aurait pu faire jouer dans ses yeux et une grande question le tourmentait. POURQUOI ? Pourquoi lui ? Pourquoi tout cela lui était-il enlevé ? Quel était le sens profond de toute cette tragédie ?

Le désir et les regrets s'estompèrent eux aussi et vint le jour où il put regarder Sarah avec la générosité absolue de ceux qui n'ont plus rien à espérer. Elle ne lui avait jamais menti. Elle avait vécu ses espoirs et ses peurs au même rythme que lui, toujours présente, toujours fidèle. Il prit conscience de tout ce qu'elle lui avait donné, à quel point elle avait été douce, comme un baume parfumé sur sa maladie. Il comprit aussi l'immensité du chagrin qu'elle vivrait lorsqu'il aurait passé la porte. Pour elle, la souffrance s'étirerait sur des mois, peut-être des années, alors que lui serait depuis longtemps en paix. Le désespoir de ceux qui restent n'est pas une mince responsabilité pour ceux qui partent. Il passa tous ses moments de lucidité à chercher une solution.

En plein cœur de l'hiver, des accès de fièvre terrassèrent Olivier. Il n'y avait plus grand-chose à faire. Il n'était que l'ombre de lui-même, dormant la plupart du temps, anéanti par les drogues puissantes qui jugulaient ses douleurs.

Muette et farouche, Sarah passait presque

toutes ses journées au chevet du jeune homme. L'école et le reste pouvaient bien attendre. Il n'était pas question qu'Olivier s'en aille sans qu'elle lui tienne la main, sans pouvoir l'accompagner de mille « je t'aime ». Ils s'étaient entendus sur une dernière complicité : s'il existait quelque chose derrière la porte, il devait absolument trouver un moyen de le lui faire savoir. N'importe comment. Juste un signe. Elle saurait le reconnaître.

* * *

Le dernier soir arriva. Toute la journée, Sarah s'était sentie fébrile. Elle savait. Olivier ne semblait pas plus mal que d'habitude. Pas mieux non plus. On avait incité ses parents à retourner chez eux. Son état était stable et rien ne laissait supposer une issue fatale dans les prochaines heures. L'hôpital se vida. Sarah quitta la chambre verte la dernière mais au lieu de rentrer chez elle, elle se réfugia dans une encoignure de la cafétéria, derrière les distributrices à sandwiches. Elle laissa les bruits et les lumières s'estomper avant de regagner furtivement la petite chambre d'Olivier. Elle s'approcha comme une ombre et serra contre sa poitrine la main sèche qui reposait sur les draps. Tout était calme. Des machines sophistiquées ronronnaient, rassurantes, autour du lit, prouvant hors de tout doute que le grand corps allongé vivait encore. Le point lumineux du moniteur dansait régulièrement sa petite gigue et la goutte qui s'échappait du soluté habitait l'espace d'un mouvement imperceptible.

Olivier ouvrit les yeux et sourit à Sarah. La présence de son amie le rassurait. Comme elle l'avait toujours fait, elle l'encourageait à aller plus loin. Avec elle, tout serait plus facile, tellement plus doux. Il parvint à prononcer son nom :

— Sarah !

Et à crisper sa main échouée entre les deux petits seins ronds. Il sentit le cœur battre contre sa paume, régulier comme une pompe bien huilée alors que son petit point à lui s'essoufflait dans sa gigue. La voix douce de la jeune fille enveloppa ses dernières pensées conscientes.

— Vas-y, Olivier, t'es capable. T'as toujours été capable, fonce ! Aie pas peur. Y'a quelque chose de fabuleux devant toi. Manque pas ça, mon amour. Je suis là. Je vais pas te lâcher une minute. Vas-y. Si je pouvais, je partirais aussi, mais j'ai pas vraiment commencé ce que je devais faire ici, alors que toi t'en as déjà fait le tour. C'était bien nous deux, hein ? Mais n'aie pas de regrets mon cœur, et te fais pas du souci pour moi. Je trouverai bien le moyen de continuer et je suis sûre que tu m'aideras, d'une façon ou d'une autre... Tu peux pas savoir comme je t'aime... comme je t'ai toujours aimé. »

Sarah s'arrêta de parler lorsque le jeune homme sombra dans l'inconscience. Elle s'étendit sur le lit étroit, et prit le grand corps dans ses bras, le berçant dans sa chaleur alors qu'il perdait la sienne. Le petit point lumineux tressautait encore par moments.

Comme un jeune Fou de Bassan à son premier envol, Olivier hésitait encore sur le bord de sa falaise. La tendresse de Sarah l'encouragea à sauter. Il plongea vers l'inconnu et l'entonnoir de ténèbres l'emporta jusqu'à une intense lumière bleue. Là-bas, très très loin, le petit point lumineux s'éteignit.

Sarah ne sut jamais très bien comment elle se retrouva dans sa chambre, dans la quiétude confortable de sa maison d'Outremont, assise près de la fenêtre à regarder l'éclat dur des étoiles de février. Olivier était parti et elle en ressentait un étrange soulagement qui la laissait vide et sans émotion. Elle s'endormit toute habillée, foudroyée par la fatigue.

Lorsqu'elle se réveilla à une heure tardive de l'après-midi, l'absence lui tomba dessus d'un seul coup, comme un immense manteau noir étouffant. Elle se leva et courut vers le miroir de sa chambre dans l'espoir insensé d'y trouver le reflet d'Olivier. Il avait promis de lui donner un signe. Il devait être là ! Elle n'y vit que l'image d'une jeune fille défaite et désolée qui cherchait l'impossible. Elle se détesta d'être encore vivante et lança le poing vers la vision qui la narguait. Le miroir éclata en mille miettes.

Alertés par le vacarme, les parents de Sarah accoururent. Seule au milieu de sa chambre, le poing en sang, Sarah criait sa peine, entourée des morceaux de son rêve brisé.

* * *

L'espoir prend quelquefois de drôles de détours.

Une semaine après l'enterrement d'Olivier, on sonna à la porte, chez Sarah, pour livrer une grosse boîte à son nom. Barricadée dans sa chambre, elle refusa d'aller ouvrir et c'est son père qui monta jusqu'à elle la volumineuse boîte d'où sortaient de drôles de bruits. Il y avait une lettre avec l'envoi. Une lettre d'Olivier qui datait déjà de quelques semaines.

Le cœur tremblant, la jeune fille ouvrit la missive et demeura confondue. Il n'y avait qu'une seule ligne :

« Pour que tu continues, Sarah, et parce que je t'aimerai toujours. »

Il n'avait pas été capable d'en écrire davantage.

La grosse boîte contenait une cage et différents accessoires : une écuelle, une balle en caoutchouc, un panier avec un coussin, plusieurs boîtes de croquettes, un collier et une laisse. Tout ce qu'il fallait pour accueillir le minuscule chien, réfugié comme un pitou piteux dans le fond de la cage.

C'était un petit bichon blanc. Un chiot tellement mignon que Sarah retrouva son sourire. C'était un cadeau d'amour qu'Olivier lui envoyait de l'Au-delà et dont il avait planifié l'achat avant sa mort. Il connaissait bien son amie et il savait que cet animal l'obligerait à secouer son chagrin, puisqu'elle devrait prendre soin de lui, le brosser, le promener, le cajoler... Extraordinaire pensée que la jeune fille accepta avec reconnaissance.

Pour la première fois depuis la mort d'Olivier, Sarah s'endormit paisiblement, le chiot blanc serré contre elle. Au milieu de la nuit, un gémissement de la petite bête la tira de son sommeil. Elle s'assit brusquement dans son lit, attentive. Près de la fenêtre hermétiquement close, le rideau ondula, dévoilant dans son mouvement un croissant pointu de lune. Par trois fois, comme un immense clin d'œil, le rideau frissonna dans ses plis de velours. Sarah sentit un souffle sur son visage, une caresse sur son âme triste. Olivier avait tenu sa promesse. Il était là. C'était son signe.

— Merci Olivier, et au revoir. Bon voyage, où que tu ailles !

Tout s'apaisa dans la petite chambre tiède. Le rideau se calma. Le chiot se rendormit sur l'oreiller. Le cœur consolé de Sarah retrouva son rythme normal. Elle se réfugia sous les couvertures et se laissa couler dans le sommeil.

Et quelque part dans ses rêves, cette nuit-là, elle se permit de regarder l'avenir.

LE ROI ARTHUR

Le bonheur

Pendant ce temps-là, dehors,
une exubérance à chaque seconde se renouvelle,
les racines travaillent,
les sources montent,
les poissons fulgurent dans le torrent,
les écorces crient,
les feuillages se peuplent de nids…
les arbres inventent des musiques…
Tout va mourir bien sûr,
tout va partir en poudre sous la terre ou dans le vent,
mais tout cherche à naître encore et toujours.
Que jamais ne nous déserte cet éclair qui nous tient
aux aguets!

Pierre Morency
L'Œil américain

Joseph rencontra le Roi Arthur, pour la première fois, le matin de ses douze ans. C'était au tout début de juin. Une des premières journées vraiment chaudes de l'été.

Le garçon se réveilla vers six heures, habité par un sentiment d'urgence qui le jeta à bas de son lit. Sans faire le moindre bruit, il longea le couloir et traversa la grande salle où l'ombre matinale des arbres jouait dans les poutres du plafond. Dans la cuisine, il ouvrit le frigo qui ronflait comme un vieux chien asthmatique et se versa un verre de lait. Il pinça au passage une rangée de biscuits, pêcha trois pommes dans le saladier et sortit sur la galerie du chalet en faisant attention de ne pas claquer la porte moustiquaire. Ses parents dormaient encore.

L'air du dehors était déjà tiède, transparent comme une eau vive. L'averse de la veille avait lavé le ciel et le vert des arbres était presque phosphorescent dans le soleil. Joseph descendit sur ce qui tenait lieu de pelouse et savoura la fraîcheur de la rosée sous ses pieds nus. Il contourna la maison jusqu'au garage où il avait rangé ses espadrilles, se chaussa, enfourna ses provisions dans un vieux sac à dos et emprunta le sentier qu'il avait aperçu derrière la maison.

Julie et Paul Bissonnette, les parents de Joseph, venaient d'acheter ce chalet dans les Cantons de l'Est, près de Fitch-Bay, à quelques kilomètres de la frontière américaine, dans ce beau coin du Québec où les collines défrichées se partagent le paysage avec le fouillis des forêts et les eaux claires de multiples lacs. Pour la première fois, la veille au soir, toute la famille avait échoué au fin fond du rang perdu qui abritait leur petite propriété. C'était le déluge ! Personne n'avait eu le temps de contempler le panorama. Sous la pluie battante, il avait fallu vider la jeep en quatrième vitesse et courir porter les sacs de provisions dans la maison. Le chalet était poussiéreux et vétuste. Les murs suintaient l'humidité et pour mettre un peu d'animation dans leur arrivée, il y avait une panne d'électricité. Joseph s'était battu avec une antique lampe à huile qui n'avait pas servi depuis des lustres. Il était parvenu à lui arracher la lumière suffisante à un repas de sandwiches et une installation sommaire dans les chambres.

Mais tout cela n'avait aucune espèce d'importance. Joseph était heureux. Presque trop, puisque ce premier matin radieux à la campagne lui mouillait les yeux. Un monde nouveau s'offrait à lui et il y pénétra avec une totale innocence.

Le sentier descendait dans un boisé de bouleaux et d'érables à sucre, que les thuyas et les pins perçaient de leur tête pointue, et se terminait abruptement devant une clôture de fil de fer barbelé. Joseph grimpa par-dessus la clôture et tomba dans un fossé peu profond, envahi par les fougères et les framboisiers dont les longues branches griffues s'emparèrent de ses cheveux. De peine et de misère, le garçon traversa cette barricade végétale et déboucha dans une immense prairie qui descendait en pente douce vers la route de terre qu'ils avaient empruntée la veille. Rien n'arrêtait l'œil. Le moutonnement des collines se perdait à l'horizon. Des petites fermes au toit coloré signalaient, ici et là, que l'immensité était habitée. Sur la droite, l'œil bleu du lac Memphrémagog clignotait au soleil.

Joseph regardait avec tous ses sens. C'était grandiose et il n'avait jamais éprouvé un tel sentiment d'allégresse. Il s'avança jusqu'au milieu de la prairie en empruntant ce qui ressemblait à une piste et s'assit à l'indienne pour manger quelques biscuits. Juste devant lui, en contrebas, un bouquet d'arbres avait poussé sur un tas de roches arrachées à la prairie, comme une île échouée sur un océan de verdure. Joseph décida d'en faire son repaire. Il n'existait pas de meilleur endroit.

Soudain, un bruit étrange. Derrière lui, la clôture grinçait sur un fond de gémissements comme il n'en avait encore jamais entendu. Un piétinement sourd sur le chemin... l'inquiétante sensation d'une présence... Le cœur de l'adolescent s'emballa un peu, mais il se dirigea résolument vers la source du bruit. À son approche, l'agitation dans les broussailles s'accentua. D'une main hésitante, il écarta les fougères et les lances des framboisiers et découvrit.... il n'en crut pas ses yeux... un tout petit chevreuil, prisonnier de la tête et des pattes, dans la clôture barbelée.

Figé par la surprise et l'émerveillement, Joseph n'osait plus bouger d'un cheveu. Si près qu'il aurait pu le toucher en étendant le bras, le faon se démenait avec l'énergie du désespoir pour se libérer des fils métalliques. Le petit animal regardait le garçon avec d'admirables yeux humides, agrandis par la panique. Il était tout jeune, quatre ou cinq semaines, pas plus. Sa robe caramel était constellée de petites taches blanches et ses pattes frêles semblaient interminables. Une de ses oreilles était prise dans un barbelé.

Il fallait faire quelque chose ! Joseph n'y connaissait rien en matière de chevreuil mais il comprenait que la créature affolée qui était devant lui avait besoin d'aide. Comme dans un film au ralenti, il étendit la main vers le faon en murmurant des paroles rassurantes.

— N'aie pas peur ! J'te veux aucun mal, j'veux seulement t'aider à sortir de là. Arrête de grouiller comme ça !

Le petit cerf de Virginie se calma un peu. En tremblant comme une feuille, Joseph réussit à dégager les deux sabots pris dans la clôture, ce qui permit au jeune animal de se remettre sur ses pattes. Se sentant tout à coup presque libre, le faon se dégagea d'un brusque coup de tête et le barbelé déchira son oreille droite. Tétanisé par la peur, l'animal accusa le coup, se redressa sur ses allumettes de pattes et se perdit sans demander son reste dans la foule serrée des arbres, le drapeau blanc de sa queue levé bien haut, comme un signal de détresse.

— Reste, Arthur, t'en va pas comme ça !

Le garçon avait le souffle coupé par l'émotion. Pour son premier matin au chalet, il était comblé au-delà de tous ses rêves. Ce magnifique petit animal était un cadeau de bienvenue, il en était sûr. Au fait, l'avait-il appelé Arthur ? Pourquoi Arthur ? Ce prénom lui était spontanément sorti des lèvres.

Il sourit. C'était logique ! Il était en train de lire les légendes des Chevaliers de la Table Ronde et son inconscient avait fait le lien entre le jeune

120

roi, prisonnier de son destin, et ce petit prince de la forêt, captif des barbelés. À chacun son donjon ! Joseph se sentit soudain l'âme d'un chevalier : lui vivant, personne ne toucherait à SON chevreuil. Il s'engageait à le protéger, envers et contre tous, et en fit le serment solennel en levant les deux poings vers le ciel.

Remontée des profondeurs de la terre, une grande pierre plate tiédissait au soleil entre les racines d'une épinette bleue. Joseph y déposa ses trois pommes et son reste de biscuits...

* * *

À partir de ce jour-là, Joseph vécut dans deux univers parallèles. Durant la semaine, c'était Montréal, la turbulente agitation de l'école, les compétitions de soccer avec les copains, le club d'informatique où il apprenait à naviguer sur le Net, le grand débile de Leroux qui n'arrêtait pas de le niaiser et l'amitié inconditionnelle de Mathieu, son ami de toujours qui savait tout de lui... ou presque. Une vie bien remplie, quoi !

Mais les fins de semaine, c'était tout autre chose ! Il y avait Arthur et la liberté enchantée qu'il vivait au cœur de la nature, avec pour seule contrainte de rentrer à la tombée de la nuit. Joseph appréciait la générosité de ses parents qui passaient tout leur temps libre à retaper le vieux chalet, et le laissaient vagabonder à sa guise, conscients de son besoin d'indépendance. Il n'en était que plus attentif aux petites fatigues de Julie et acceptait avec plus d'indulgence les étourderies de Paul.

Joseph était très secret. Il n'avait raconté à personne sa rencontre avec Arthur. Pas même à Mathieu ! C'était une affaire trop personnelle. Son copain n'y aurait d'ailleurs rien compris, lui qui voyait la campagne comme une usine à moustiques et qui devenait hystérique à la vue de la moindre araignée. Pour Joseph, le chalet dans les Cantons de l'Est était un monde à part, un jardin secret qu'il partageait avec ce jeune chevreuil du printemps, cet étrange et fragile jumeau qui peuplait tous ses rêves.

* * *

Joseph et Arthur s'étaient revus. Souvent. Le lendemain de leur première rencontre, le garçon était retourné vers la grande pierre plate. Pommes et biscuits avaient disparu.

Beau temps, mauvais temps, Joseph se levait aux aurores, dans la lumière rose de l'aube ou le glissement de la pluie, et partait à la recherche de son ami, les poches bourrées de cadeaux. Julie n'en revenait pas. À Montréal, il fallait une grue pour le sortir du lit alors qu'au chalet, le moindre bourdonnement de mouche le faisait sauter dans ses jeans, à l'heure où tous les gens honnêtes dormaient encore.

Le garçon se rendait directement dans la prairie, jusqu'à son îlot d'arbres. Il empruntait les chemins des chevreuils, ces pistes d'herbes tapées qui ondulaient dans les bois et les champs et examinait comme un expert les paquets de crottes rondes, semblables à de gros grains de café, qui marquaient le passage des cervidés. En quelques semaines, il avait aménagé un véritable repaire dans l'îlot, repoussant les pierres en arc de cercle pour former un rempart, invisible de l'extérieur. Il était fier de son œuvre et la baptisa Camelot. La ville mythique des Chevaliers de la Table Ronde renaissait en Estrie. Il prit l'habitude de venir y lire en guettant la venue de son ami sauvage.

Chaque matin, il vidait ses poches sur une souche proche et disposait, selon les jours, des pommes, des carottes, des biscuits ou du pain sec, car il avait remarqué qu'Arthur préférait les *toasts* à tout autre gourmandise. Bien installé dans son donjon de pierre, protégé des intempéries par un morceau de plastique « emprunté » à son père, Joseph explorait alors son sac à dos : collation, bouteille d'eau, deux ou trois livres... et une flûte à bec dont il tirait quelques sons convenables. L'attente pouvait commencer.

Au début, Arthur s'approchait sans que le garçon, occupé à regarder ailleurs ou à travailler sur son rempart, ne s'en aperçoive. Alerté par un craquement de pain ou un mâchonnement de pomme, il se retrouvait brusquement face à face avec le faon, séparé de quelques mètres à peine. Les deux amis s'observaient intensément. Sans l'avoir jamais appris, Joseph savait qu'il ne servait à rien de brusquer les choses et demeurait immobile, admirant passionnément le petit cerf, sa truffe humide, ses grands yeux attentifs et ses oreilles mobiles dont l'une avait été crantée à jamais par le barbelé.

Le faon prenait tout son temps. Sans quitter de l'œil l'humain qui essayait de l'amadouer, il mangeait jusqu'à la dernière miette les friandises offertes. Le festin terminé, il redressait la tête, humant les richesses du vent, reculait de quelques pas et détalait brusquement, dévoilant dans un galop joyeux l'incroyable grâce de son corps musclé.

À la longue, Joseph développa un sixième sens. Tapi dans son donjon, il savait, sans entendre le moindre bruit, qu'Arthur arrivait. Il le voyait s'approcher, perché sur ses hautes pattes, foulant avec précaution la piste d'herbes, l'oreille et la truffe aux aguets, la robe rousse à points blancs prenant des reflets de satin dans la lumière. Et Joseph se disait à chaque fois qu'il n'avait jamais rien regardé d'aussi beau.

La faon s'enhardissait. Il avait fini par s'habituer au son de la flûte et la musique aigrelette de Joseph l'attirait comme un aimant. Bientôt, le garçon put sortir de sa tanière et s'avancer très doucement vers l'animal, sans que celui-ci ne s'enfuie à la folle épouvante... mais il y avait une limite subtile à ne pas dépasser. Dès qu'elle était violée, Arthur prenait la poudre d'escampette dans une envolée de queue blanche et le garçon désespérait de pouvoir le caresser un jour. Il apprenait la patience et son long cortège d'attentes et d'essais gâchés.

* * *

À la fin du mois d'août, Arthur accepta de faire un bout de chemin dans la prairie, à quelques foulées de son ami Joseph. Les taches blanches de sa robe s'étaient mystérieusement évaporées. Il avait beaucoup forci et ses pattes nerveuses ne ressemblaient plus à des allumettes. Quelquefois, lorsque Joseph lui parlait, — car il était convaincu que son chevreuil comprenait tout — il levait le menton plusieurs fois de suite avec un air espiègle que l'adolescent trouvait du dernier comique.

Joseph n'avait pas parlé à ses parents de son étonnante amitié. Ce fut Arthur qui vendit la mèche, par un des derniers beaux soirs de l'été, alors qu'ils étaient tous les trois attablés sur la ter-rasse. Paul allait attaquer son troisième hot-dog lorsqu'il vit Julie se figer, les yeux ronds de sur-prise, l'index pointé vers le parterre multicolore qu'elle cultivait avec enthousiasme. Planté au beau milieu des fleurs, le jeune cerf de Virginie dégustait posément une touffe de phlox roses qu'il arrachait à leur base avec un bruit de faucille. À la table, les trois humains retenaient leur souffle.

Il allait s'attaquer à une corbeille d'impa-tientes que Julie trouvait très belle lorsque Joseph se leva, sans faire de mouvements brusques. Il descendit sur la pelouse, une tranche de pain dans chaque main.

— Qu'est-ce-que tu fais là, mon voyou ? Tu sais que t'es en train de manger les fleurs de ma mère ? Viens plutôt voir ce que j'ai pour toi.

Le chevreuil agita frénétiquement les oreilles, leva plusieurs fois le menton et s'approcha en hésitant, un sabot après l'autre, jusqu'à son ami immobile. Il attrapa le pain du plus loin qu'il pût mais Joseph eut le temps de sentir la caresse du museau mouillé et la rugosité du pelage autour de la bouche. L'animal mâchouilla son pain quelques instants puis, dans une fantasque volte-face, il détala, sans même afficher son drapeau blanc de queue.

Le tête de ses parents ! Joseph allait s'en souvenir toute sa vie. Les yeux clairs de Julie étaient noyés de larmes et Paul avait complètement oublié qu'un hot-dog refroidissait dans son assiette. Lorsque l'adolescent rejoignit sa place, les deux adultes le regardèrent comme s'ils avaient affaire à un extraterrestre. La comparaison n'était d'ailleurs pas si loin de la vérité. Ils comprirent en un éclair que leur fils avait découvert un autre monde, qu'il y avait vécu quelque chose d'extraordinaire. Ils comprirent aussi que l'instant était magique... un de ces moments précieux dont on se rappelle avec reconnaissance lorsque plus rien ne va. Julie caressa la joue de son fils. Paul repoussa son assiette et Joseph partagea son beau secret.

* * *

Joseph était grippé. Vraiment mal fichu. La veille, Julie lui avait fait boire une potion magique au citron qui l'avait assommé de belle façon. La tête embrumée, il regarda le réveil. Neuf heures ! Pour la première fois, il avait raté le rendez-vous matinal avec son chevreuil. Le jeune ado se leva en frissonnant et enfila à la hâte ses vêtements. Une odeur de graisse sucrée l'accueillit dans la grande salle. Julie avait fait des crêpes. Paul et elle flânaient devant une tasse de café en lisant le volumineux journal du samedi. Des boîtes en carton traînaient un peu partout dans la pièce.

— Qu'est-ce qui se passe ? C'est quoi tout ce bazar ?

— Voyons Joseph ! Tu sais bien que c'est aujourd'hui qu'on ferme le chalet. Il commence à faire froid et la maison n'est pas équipée pour qu'on puisse venir l'hiver. Déjà qu'on gèle dans les chambres !

— Mais papa, t'avais dit qu'on partirait pas avant la fin octobre.

— Regarde ton calendrier, *man*. On est déjà le 25 et la météo annonce des gelées sérieuses pour les prochains jours.

— C'est tout de même pas la mort ! On peut faire du feu dans le foyer. Je peux même me lever la nuit pour remettre des bûches, si vous voulez.

— Réfléchis un peu ! S'il gèle, on va avoir des problèmes avec l'eau. Paul préfère purger les tuyaux dès aujourd'hui et partir en ville avec l'esprit tranquille.

— On pourrait pas attendre encore un peu ? Il faut que je m'occupe d'Arthur.

— Tu as toute la journée pour lui dire au revoir. Rester davantage, ce serait trop risqué pour nous. Désolé, fils !

Joseph se leva, blême. Il enfila son ciré et ses bottes et sortit en claquant la porte. Julie et Paul se regardèrent. Ils savaient tous les deux que leur excuse était tirée par les cheveux et qu'ils auraient pu venir, sans problème, quelques week-ends de plus. Mais la chasse au cerf de Virginie commençait la semaine suivante et Paul avait aperçu une camionnette en patrouille sur le chemin de terre, au bas de la prairie. Les chasseurs équipés de jumelles avaient sûrement repéré les allées et venues d'Arthur. Tuer des femelles et des petits était interdit mais on ne pouvait jamais être sûr de rien. En écoutant les conversations au magasin général de Fitch-Bay, Paul avait cru comprendre que certains braconniers tiraient sur tout ce qui bougeait, en dépit des lois et des agents de la faune. Pas question que Joseph soit confronté à l'assassinat éventuel de son chevreuil. Julie était convaincue que son fils en aurait le cœur brisé. À tout prendre, elle préférait un pieux mensonge à une grande tragédie.

Joseph rentra à la brunante. Une bourrasque de pluie et un paquet de feuilles mortes s'engouffrèrent dans la maison avec lui.

— Tu l'as vu ?

Le garçon acquiesça. Sans plus. Il n'avait pas envie de parler. Il en voulait à ses parents de ce qu'il n'était pas loin de considérer comme une trahison.

Le chalet était vidé de sa chaleur. Les armoires étaient vidées et le joyeux désordre de Julie avait disparu. Les boîtes remplissaient la jeep. Pendant que son père fermait les portes et assujetissait les volets de bois, Joseph s'aventura sur la pelouse. À côté du garage, le grand érable rougeoyait de ses derniers feux dans sa robe d'automne. Sa splendeur frappa le garçon comme une gifle. Personne ne pourrait jamais comprendre la tristesse qu'il éprouvait.

Il monta dans la jeep, bousculant les boîtes qui empiétaient sur son siège et se mura dans le silence. Lorsque la voiture longea la prairie, il aperçut la gracieuse silhouette d'Arthur, batifolant à l'orée du bois, et la suivit des yeux aussi longtemps qu'il put. L'îlot d'arbres qui abritait Camelot disparut au détour du chemin et Joseph ne vit plus rien. Alors, il s'étouffa dans une quinte de toux qui ressemblait à un long sanglot.

* * *

Au bout de quelques semaines, Joseph n'en pouvait plus. Il se languissait de son chevreuil, anxieux de savoir si tout allait bien pour lui. Il n'avait pas été longtemps dupe du mensonge de ses parents. Tous les jours, à la radio, les chroniqueurs de chasse donnaient des renseignements précis sur la « récolte » des cervidés dans les différentes régions du Québec. Curieux tout de même que l'on puisse comparer ces si gracieux animaux à des pommes ou des épis de maïs... comme si tout ce qui pouvait se manger était à mettre dans le même panier... comme si tout ce que la terre portait était réduit à un commun dénominateur. Et les hommes, est-ce qu'on les « récoltait » eux aussi ? Les guerres pouvaient-elles se comparer à des mauvaises récoltes ?

Paul finit par prendre son fils en pitié et, par un bel après-midi de décembre, ils firent un saut jusqu'au chalet de Fitch-Bay, sous le prétexte cousu de fil blanc qu'il fallait vérifier les volets.

Sitôt arrivé, Joseph avait couru sur la terre durcie. Dans la prairie, ses bottes glissaient sur l'herbe pétrifiée par le froid. Camelot, l'indestructible, n'avait pas bougé. Des chapelets de crottes gelées tapissaient le fond du refuge et l'adolescent comprit que le prince de la forêt avait exploré son royaume. Il sortit la flûte de son sac et égrena une petite chanson acide dans l'air pétillant de gel. Arthur arriva presque tout de suite, inconscient des semaines d'absence de son ami. Le jeune cerf se pavana quelques instants, le mufle auréolé de buée blanche, tricotant des pattes en un ballet gracieux dont lui seul connaisait le rythme. Il renifla les tranches de pain sur la souche et succomba à la gourmandise. Joseph s'avança. L'animal le laissa faire. Après avoir caressé le museau sensible et les tendres oreilles ourlées de poils noirs, le garçon enlaça le col élancé de son chevreuil, respirant son étrange odeur musquée, et il restèrent ainsi, dans la lumière oblique du soleil d'hiver... le temps d'un merci.

* * *

Ce serait trop peu de dire que l'hiver fut long... mais il finit tout de même par passer. Pour user le temps, Joseph se plongea dans les livres. Tout d'abord, il lut tout ce qu'il put trouver sur le cerf de Virginie, avalant des articles indigestes et des documentaires ardus, cherchant inlassablement les mots inconnus dans le dictionnaire. Puis, sa curiosité s'élargit aux autres mammifères qui peuplent les sous-bois et les prairies. Et des mammifères aux oiseaux, il n'y eut qu'un petit battement d'aile...

Mathieu ne reconnaissait plus son ami. Il n'y avait plus moyen de l'extirper de ses bouquins. C'est tout juste s'il parvenait encore à l'entraîner au soccer et dès qu'il mettait les pieds au club d'informatique, c'était dans le but avoué d'échanger des informations avec les internautes qui souffraient du même dérangement de la cervelle que lui. Mathieu se sentait exclu et se fâchait parfois.

— T'hallucines Bissonnette, avec tes bestioles ! Y'a plus moyen de rien faire avec toi. T'es en train de virer fou, ma parole !

Mais Joseph était sûr du contraire. Il sentait

confusément qu'un lent et précieux travail s'effectuait en lui. Chaque connaissance nouvelle était comme un coup de pinceau sur une toile. Le dessin prenait forme et le garçon commençait à comprendre quelle y était sa place. L'assurance d'appartenir à une grande spirale où la vie prenait d'innombrables formes et où il avait un rôle précis à jouer le comblait de bonheur et le protégeait de tout sentiment de solitude. Il ne savait pas à quel point il était privilégié.

* * *

Trois ans passèrent. Paul avait monté une petite entreprise de béton armé et quelques gros contrats lui permirent d'envisager d'importantes améliorations au chalet de Fitch-Bay. On souleva le bâtiment pour cimenter une cave, on aménagea une nouvelle salle de bains, on agrandit la cuisine. La toiture, les fenêtres et l'isolation des murs furent refaites... Ce fut un beau chantier qui dura des semaines et des mois.

Hérissé comme un chat qu'on dérange dans ses habitudes, Joseph prenait son mal en patience car tout ce chambardement signifiait que le chalet allait être habitable toute l'année et qu'il n'aurait plus à être séparé d'Arthur durant d'interminables mois. Seule ombre au tableau, Paul considérait que son fils était assez concerné pour mettre la main à la pâte et sa liberté d'aller et venir à sa guise en fut réduite.

Mais Joseph parvenait toujours à s'échapper pour rejoindre Arthur. Entre eux, la complicité était tout simplement inconcevable et si l'adolescent passait beaucoup moins de temps dans les murs de Camelot, ses rencontres avec Arthur n'en avaient que plus d'intensité.

Le faon était devenu un jeune mâle magnifique, fort et musclé, arborant fièrement des andouillers à six pointes que l'été habilla de velours. Son oreille droite festonnée par le barbelé le rendait parfaitement identifiable. L'adolescent caressait avec émotion le panache velouté, étonné de le sentir si doux sous ses doigts.

Le chantier s'acheva avec l'automne. Joseph retrouva d'un coup sa liberté... juste au moment où Arthur devint plus fantasque et prit ses distances par rapport à son chevalier.

Le velours de ses bois tombait en lambeaux. Pendant de longues minutes, il se frottait nerveusement contre l'écorce des arbres, agacé par ces languettes de peau sanguinolente qui se balançaient devant ses yeux. Les pointes de son panache renaissaient sous la peau desséchée, rouges et dures, avant de prendre une belle teinte ivoire. La période du rut commençait et le chevreuil allait se placer sur les rangs pour courtiser les biches dont on apercevait parfois les silhouettes fugaces dans le ravage de cèdres. L'instinct de reproduction allait devenir plus important que tout le reste et leur amitié connaîtrait une éclipse. Joseph le savait et l'acceptait, même s'il ne pouvait se défendre d'un pincement au cœur.

* * *

Il faisait un temps de chien. La pluie et le vent de ce début de novembre menaçaient de faire lever le toit. La portière d'une voiture claqua. Paul leva le nez de son journal. On n'attendait personne. Qui pouvait bien se risquer dans leur rang perdu, par un temps pareil? Des pas ébranlèrent la galerie et un doigt impératif claqua sur la vitre de la porte. Julie s'empressa d'ouvrir.

— Mais c'est Michel! Pour une surprise...

— Salut la belle-sœur! J'étais dans le coin et j'ai pensé que tu ne refuserais pas un p'tit café à un voyageur égaré. Est-ce que mon frérot est là?

— Certain! Entre vite. Ça fait une mèche qu'on n'a pas eu de tes nouvelles. Paul va être content de te voir.

Michel entra avec tout un bataclan de sacs et de musettes et une longue boîte jaune qu'il cogna dans la porte. Paul et Joseph s'étaient levés et les salutations amicales se multiplièrent. De fil en aiguille, Michel se retrouva installé à la table familiale et une invitation à rester dormir ne tarda pas à lui être faite. Le frère prodigue se perdait en compliments sur le confort du chalet rénové et le pittoresque de la région. Son rire chaleureux vibrait jusqu'aux poutres du plafond.

Pourtant, Joseph était mal à l'aise. La grande boîte jaune l'inquiétait. C'était sans aucun doute un étui à fusil. Il savait peu de choses sur cet oncle qui arrivait comme un météore, repartait aussi sec et ne donnait plus de ses nouvelles durant des mois. On chuchotait qu'il était vraiment cinglé et on se racontait en messes basses ses multiples excentricités. À 18 ans, Michel s'était engagé pour aller se battre au Vietnam. Il avait été grièvement blessé et pendant des mois, il s'était traîné comme une loque, meurtri dans sa chair et dans son âme. Il n'avait jamais retrouvé son équilibre et se promenait dans la vie en solitaire, conscient de son incapacité à bâtir des relations humaines stables.

— Qu'est-ce qui t'amène par chez nous ? demanda Julie.

— La chasse, ma belle ! Ça fait plusieurs jours que je rôde dans les environs. Tantôt, j'ai repéré un beau petit *buck*, à deux pas d'ici et j'ai bien l'intention de lui montrer de quel bois se chauffe un vétéran comme moi.

Le silence qui suivit était coulé dans la glace. Paul et Julie n'osaient pas regarder leur fils. Joseph était livide.

— Et comment il est, ce chevreuil ? demanda-t-il d'une voix blanche.

— Beau p'tit mâle, trapu, fier.... trois ou quatre ans... avec une oreille pas comme l'autre. Je l'ai bien vu dans mes jumelles.

Joseph abattit son poing sur la table, dans un vacarme de bouteilles et de verres choqués. Il se leva et pointa un doigt menaçant vers son oncle. Il était hors de lui.

— C'est MON chevreuil ! Je l'ai sauvé quand il était petit et personne, PERSONNE n'y touchera !

— Du calme, Jo. C'est juste un animal après tout !

— Pas vrai ! C'est mon ami, mais ça, mon vieux, ça te dépasse complètement. Tu peux pas comprendre... un tueur peut même pas imaginer ces choses-là.

— Joseph, de quel droit parles-tu ainsi à ton oncle ? Il ne pouvait pas savoir. Excuse-toi immédiatement, tonna Paul.

— Jamais ! J'ai aucune confiance en lui et j'ai assez entendu d'horreurs sur son compte pour avoir le droit de m'inquiéter. Dans la famille, vous arrêtez pas de dire qu'il est *crackpot*.. J'te préviens, papa, si jamais il tue mon chevreuil, ce sera toi le responsable. Je m'en irai et vous ne me reverrez jamais ! Personne !

La gifle explosa sur sa joue comme un coup de fusil. Père et fils s'affrontèrent du regard, l'autorité de l'un se heurtant à la détermination de l'autre. Puis, l'adolescent sembla se dégonfler d'un coup et courut se réfugier dans sa chambre. Le regard paniqué de Julie montrait qu'elle prenait très au sérieux la menace.

L'adolescent était atterré. Il s'assit sur son lit et essaya de se calmer. Pour réfléchir. Arthur était en danger, il en était certain. Habitué au contact avec un humain, il ne se méfierait pas et serait une cible sans défense pour l'œil de la carabine de Michel Bissonnette. Joseph avait la certitude que son oncle ne changerait pas d'avis. Dans sa tête fêlée de psychopathe, la moindre contrariété devenait une menace... Et on ne pouvait pas dire que Joseph avait forcé sur la diplomatie. Le jeune homme avait clairement interprété son regard de défi.

Pas question de dormir ! Il fallait veiller et dès l'aube, courir vers le chevreuil et lui trouver un endroit sûr. Pour la première fois, Joseph remit en cause la pertinence de son attachement pour l'animal. Avait-il été trop naïf ? Cette amitié était-elle contre nature ? Avait-il provoqué une vulnérabilité susceptible de se retourner contre eux... et peut-être de les détruire... chacun d'une façon différente ?

Pendant de longues heures, Joseph écouta les bruits de la maison : conversations à voix basse, vaisselle qu'on maltraite, chaises qu'on repousse, robinets qui protestent, portes qu'on claque... Puis, tout fut silencieux. La nuit enveloppa le chalet de sa noirceur absolue et pour la première fois, le jeune homme en fut oppressé.

Joseph s'allongea confortablement. Il eut tort. Le sommeil le surprit sournoisement aux environs d'une heure du matin.

Un bruit étranger pénétra jusqu'aux profondeurs du trou noir où il flottait. Il s'éveilla en sursaut, le cœur serré, avec l'intuition précise d'une catastrophe imminente. En écartant le rideau, il sut. La voiture de son oncle n'était plus là. Michel était parti comme un voleur... comme d'habitude... pour... Arthur! C'était ça, pour tuer Arthur! Joseph ne mit pas dix secondes à s'habiller. Il attrapa au passage le sac à dos qu'il avait préparé la veille et sortit dans le jardin mouillé, dilué dans une brume bleue.

L'adolescent avait un seul avantage: il était chez lui. Il remercia brièvement le ciel pour cette ouate atmosphérique qui enveloppait les buissons de mystère et râpait les contours de chaque chose. Après avoir enjambé la clôture, il s'avança de quelques pas dans la prairie, sortit sa flûte et appela Arthur de la façon la plus convaincante qui soit. Le brouillard semblait aussi avaler les sons. Les minutes passaient et le jeune homme avait peur. Quelque part, dans cette purée bleue saturée d'humidité, le prédateur en chasse entendait, lui aussi, sa petite musique. Soudain, il respira mieux. Dans un envol magnifique, une silhouette aérienne venait de sauter par-dessus la clôture et Arthur se matérialisa à ses côtés.

— Vite, Arthur, à Camelot!

Joseph était sûr de lui. En plein champ, exposé à tous les regards, l'îlot d'arbres était la cachette idéale. Personne ne pourrait imaginer qu'un endroit aussi découvert puisse dissimuler un chevreuil.

L'adolescent était convaincu que son repaire était invisible, derrière le rempart de pierres. L'épaisseur des murs les mettrait à l'abri des balles perdues et si Arthur consentait à se tenir tranquille et à rester là, il y avait une chance — une petite chance — pour qu'il s'en sorte sain et sauf.

Les deux amis galopèrent jusqu'au refuge... fantômes fugaces dans l'épaisseur qui blanchissait avec le jour. Le chevreuil se coucha sur la terre humide tandis que le garçon tirait au-dessus d'eux le plafond de plastique. Lorsque Joseph s'appuya contre le flanc de l'animal, il s'aperçut qu'il haletait. La même angoisse les habitait tous les deux.

* * *

Michel Bissonnette avait pété les plombs. Sa réalité basculait. Fusil braqué, cartouchière autour de la ceinture, poignard contre la cuisse, il était de retour au Vietnam. Il pateaugeait dans le sillon d'une rizière, aux aguets, suffoqué par la moiteur collante de la jungle et la peur qui ne le lâchait jamais. Partout! L'ennemi était partout! Hommes, femmes, enfants, tous les Viets étaient ses ennemis et ne valaient pas plus cher qu'une balle de fusil entre les deux yeux.

Au moindre bruit, il s'accroupissait, cherchant à en deviner la provenance. Il entendit distinctement la petite musique. Ces Viets, tout de même! Qu'est-ce qu'ils n'allaient pas encore inventer? Sûrement un nouveau signal... mais le

G.I. en avait vu d'autres. Il n'avait pas son pareil pour exterminer la vermine.

Le temps s'effilochait au même rythme que la brume. La matinée s'épuisait. Entre les écharpes blanches, des pans de paysage reprenaient vie mais Michel marchait toujours dans sa rizière. Au fond du refuge, le chevreuil et son chevalier sentaient la folie se rapprocher d'eux. Pas très loin sur leur droite, une détonation éclata en échos successifs. Puis une deuxième, encore plus près. C'était la guerre ! Joseph eut une pensée fraternelle pour tous les enfants qui se terraient dans des trous, en priant pour que l'orage de fer les épargne. La guerre prenait partout le même visage : celui d'un innocent qui attend, victime parfaite et silencieuse de la folie et de la haine.

Vers midi, un soleil frileux parvint à balayer ce qui restait de brume. Joseph était ankylosé. Il se leva lentement pour se dégourdir, mû par une intuition inexplicable. D'une main prudente, il écarta le plastique pour observer les alentours. Il eut le choc de sa vie. À moins de dix pas, bien campé sur ses deux jambes, son oncle Michel le regardait dans la mire de son téléobjectif, le doigt crispé sur la gâchette. Depuis combien de temps était-il là ?

L'adolescent réagit avec la rapidité de l'éclair. Il arracha le plastique et plongea dans le trou. La balle ricocha sur le rempart avec le miaulement d'un chat en colère tandis que la détonation faisait vaciller le soldat fou.

— Sauve-toi, Arthur ! Vite, dans le bois !

En trois bonds, le grand animal se volatilisa dans la forêt. Joseph grimpa sur le rempart, face au fusil. Le G.I. hésita un instant de trop et le chevreuil disparut de sa vue. Il reporta alors toute son attention sur la silhouette menue qui s'agitait devant lui. Il en tenait au moins un. Ses yeux s'injectèrent de sang et la passion de la mort envahit ce qui lui restait de conscience. Encore une seconde, la dernière ! Il savoura comme un hallucinogène le désespoir qu'il lisait dans les yeux de sa victime.

Mais, surgi de nulle part, un coup de pelle fit chanceler le soldat. Un autre l'envoya à terre et un troisième l'assomma proprement. Paul s'acharnait sur son frère et serait peut-être allé trop loin, sans l'appel désespéré de Joseph, toujours perché sur son rempart.

— Arrête, papa ! Tu vas le tuer !

Hébété, Paul lâcha sa pelle. Lorsqu'il avait entendu les coups de feu, il s'était précipité, emportant le premier objet qui lui était tombé sous la main. Il courut vers son fils et le broya dans ses bras en pleurant. Joseph se serra contre lui. Il comprenait très bien ce qu'éprouvait son père car, lui aussi, il avait failli perdre ce qu'il avait de plus précieux.

* * *

Le temps avait passé avec son cortège de joies attendues et de chagrins imprévisibles. Joseph venait d'avoir vingt ans. Il était devenu très grand. Partout où il allait, l'intensité de son regard attirait l'attention. Contrairement à ses amis qui valsaient avec hésitation d'un futur à l'autre, il savait depuis longtemps ce qu'il voulait faire de sa vie.

Épisode noir dans la vie des Bissonnette, Paul avait fait faillite trois ans plus tôt. Le chalet de Fitch-Bay avait été vendu, au désespoir muet de Joseph qui se résigna difficilement à perdre Arthur. Depuis cette date, le jeune homme n'avait jamais revu le chevreuil pour lequel il était devenu chevalier.

Mais bien avant cette séparation effective, l'épisode tragique qui avait failli lui coûter la vie, lui avait fait comprendre qu'il devait rendre le chevreuil à sa vie sauvage, se contentant de l'aimer de loin, et renoncer à le protéger de tous les dangers, puisqu'il était impossible de tout prévoir et de tout contrôler. Il abandonna Camelot et rangea sa flûte. Les jeux de chevalerie étaient désormais derrière lui, enfermés dans son enfance secrète.

Mais il ne brisa pas pour autant son serment de chevalier. Il l'élargit. Il choisit son avenir en harmonie avec le bonheur qu'il avait éprouvé lors de ses longues courses sauvages, en pleine nature ; la zoologie le captivait. Il voulait vivre au milieu des animaux, passer sa vie à les étudier, essayer de les mieux comprendre, et les protéger dans la mesure du possible.

* * *

Joseph engagea sa vieille bagnole dans le rang de terre qui menait à son ancien chalet. Il n'y avait personne. Les volets étaient fermés. Rien ne semblait avoir changé et malgré les années d'absence, il se sentait encore chez lui.

Le jeune homme étendit le bras vers la boîte à gants. Sa vieille flûte était là. Il faillit la prendre mais se sentit tout à coup bien vulnérable. Arthur avait sans doute oublié jusqu'à son ombre. Qui sait ce qui avait pu lui arriver ? Il déplia sa longue silhouette et rejoignit la pelouse. Dans le sentier, la clôture barbelée avait été enlevée et le boisé s'ouvrait sans entraves sur la prairie. Quelques arbres avaient été abattus pour accentuer l'éclaircie et la lumière entrait en vagues impressionnistes jusqu'au petit jardin.

Joseph retrouva sans peine les pistes des chevreuils. Immuables, semées de crottes noires, elles n'avaient pas changé d'une ondulation. Il descendit jusqu'à Camelot. Le rempart était toujours là et le repaire, dissimulé aux regards indiscrets, bénéficiait d'améliorations récentes. Un canif, une corde et plusieurs outils étaient soigneusement rangés dans une sorte de petite niche. Joseph comprit qu'un enfant inconnu avait hérité de son rêve et que Camelot ne mourrait jamais.

Seul au milieu de la prairie, les cheveux dans le vent, hypnotisé par le cortège des nuages, le jeune homme s'imprégnait des rythmes de ce paysage qu'il aimait tant. Quand aurait-il le loisir de revenir ? Soudain, son pouls s'accéléra et son sixième sens l'obligea, contre toute raison, à tourner la tête vers l'orée du bois.

Le Roi Arthur était là, magnifique dans sa robe brun cendré, puissant, orgueilleux, exhibant un glorieux panache ; l'oreille crantée ne permettait aucun doute. Le majestueux animal s'avança de quelques foulées sur la piste, presque irréel sur le front mouvant des feuillages colorés d'automne. Joseph n'osa pas bouger. Il n'osa même pas respirer.

Pendant un tout petit moment d'éternité, l'homme et l'animal se reconnurent et retrouvèrent ce qu'ils avaient été. Puis, sans se presser, avec une élégance sans pareille, le roi de la forêt tourna le dos à son chevalier. De nouvelles conquêtes l'appelaient dans les profondeurs secrètes de son royaume. Et Joseph sut que la nostalgie qui l'envahissait était une autre forme de bonheur.

AÏCHA

L'amitié

« Aïcha » a été publié une première fois dans le collectif de l'A.E.Q.J. « Entre Voisins » aux Éditions Pierre Tisseyre – Collection CONQUÊTES, mars 1997.

Lève-toi, mon amie, ma belle et viens !
Car voici, l'hiver est passé ;
La pluie a cessé, elle s'en est allée.
Les fleurs paraissent sur la terre,
Le temps de chanter est arrivé…
Fais-moi voir ta figure,
Fais-moi entendre ta voix ;
Car ta voix est douce, et ta figure est agréable…

La Sainte Bible
Le Cantique des cantiques

Paris : 1960

J'avais treize ans. C'était l'hiver.

Je n'aimais pas beaucoup l'école. Selon moi, c'était un mal nécessaire pour lequel il fallait dépenser le moins d'énergie possible. Sans trop me forcer, je réussissais à passer dans toutes les matières. Je m'étais installée au fond de la classe pour ne pas distraire les élèves assidues qui paniquaient à l'idée d'obtenir une seule note en dessous de la moyenne.

Nous avions des pupitres doubles. À côté de moi, la place était vide et j'avais entassé dans le casier libre une foule d'objets hétéroclites qui

146

n'avaient qu'un rapport éloigné avec les matières enseignées.

La directrice de l'école surgissait toujours dans notre classe comme si ses jupes étaient en flammes. Ce jour-là ne fit pas exception à la règle. J'entendis son pas de brigadier dans le couloir, ce qui me donna juste le temps de cacher quelques bandes dessinées compromettantes. Elle ouvrit la porte avec brusquerie, l'œil d'aigle aux aguets, et nous toisa une bonne minute avant de nous ordonner de nous rasseoir.

— Mesdemoiselles, je vous présente Aïcha Ben Rachid, une nouvelle élève, qui arrive tout juste du Maroc. Je vous demande de bien l'accueillir et de l'aider à s'intégrer parmi nous.

À moitié cachée par l'imposante silhouette de la directrice, je découvris alors la plus extraordinaire petite femme que notre classe abrita jamais.

Aïcha était toute petite, menue et délicate comme une poupée. Elle avait d'immenses yeux de gazelle, relevés vers les tempes, et une peau d'une blancheur de porcelaine. Elle était habillée d'une façon tellement incroyable que j'en restai bouche bée.

Sa tête était couverte d'une sorte de fichu bleu clair, orné de pompons multicolores et de minuscules pièces de monnaie, noué sur le dessus du crâne. Un haïk, sorte de grande robe noire en tissu transparent, la couvrait des pieds à la tête, mais laissait deviner des vêtements de dessous aux couleurs éclatantes : une longue tunique rose vif en tissu imprimé et un pantalon bouffant assorti, serré aux chevilles. Seule concession à nos habitudes, elle portait d'épaisses chaussettes de laine blanche dans des petits souliers dorés.

Le professeur lui indiqua la place libre à côté de moi. C'était la seule disponible. Elle traversa la classe, les yeux baissés, et se glissa sur mon banc. Les piécettes de sa coiffure tintaient à chacun de ses gestes. Petite musique joyeuse qui troubla ma tranquillité.

Je n'étais pas très heureuse d'être ainsi dérangée dans mon installation de luxe et de devoir entasser en catastrophe, dans un seul casier, tout le fouillis qui en remplissait deux. Toutes les têtes étaient tournées vers nous et le professeur eut beaucoup de mal, ce matin-là, à nous ramener aux accords du participe passé.

Aïcha posa sur le pupitre une sacoche de cuir, ornée de motifs dorés en relief. Elle en sortit un cahier et plusieurs livres qu'elle empila avec soin. Elle plongea la main une seconde fois dans son sac à merveilles et en ramena une longue boîte noire en bois, incrustée de motifs géométriques en nacre. Une farandole de caractères arabes dansait tout autour du couvercle. C'était un magnifique et mystérieux objet, propre à alimenter mes envies d'envol et d'espace. Elle s'en servait comme coffre à crayons.

Je bouillais de curiosité, intriguée au plus haut point par cette fille d'ailleurs. Dans notre classe, elle ouvrait une fenêtre sur les déserts de cailloux et les oasis fragiles de son lointain pays. Mine de rien, j'observai ma voisine et je me grisai de nos différences. Le dos de ses mains minuscules était entièrement couvert d'arabesques brunes, peintes au henné avec une patience infinie, tandis que leur paume était teinte en rouge. Un tatouage bleu en étoile soulignait son menton. Le bord inférieur de ses yeux était relevé d'un trait de khôl, noir et humide. Aïcha dégageait une odeur étrange et dérangeante. Quelque chose comme un fort parfum de fleurs, mélangé à des épices inconnues que j'imaginais brûlantes. Elle était incroyablement jolie, avec une douceur et une grâce qui n'appartenaient déjà plus à l'enfance.

Ma voisine tourna vers moi l'éclat doré de ses yeux et me sourit. Je lui tendis mon livre de grammaire en soulignant du doigt la leçon du jour et nous entrâmes ainsi, avec une sereine confiance, au pays sans frontières de l'amitié.

Il n'était pas très facile d'être l'amie d'Aïcha. Elle était si différente de nous. Aux récrés, elle se réfugiait près de la porte du préau, grelottant sous le vent et la pluie, en quête du moindre courant d'air chaud. Elle ne se mêlait jamais à nos jeux, ignorant totalement les subtilités de la marelle, dédaignant les élastiques, se moquant des parties de billes et des concours de balle au mur.

Elle ne mangeait jamais à la cantine avec nous. Elle était musulmane et certains aliments qui nous étaient familiers lui étaient interdits. Elle avait obtenu la permission de déjeuner dans le préau. Alors que nous partions en rang vers le réfectoire, elle sortait de sa sacoche une serviette blanche emprisonnant selon les jours une saucisse épicée, une salade aux légumes inconnus ou quelques boulettes de viande, roulées serré dans une galette de pain plat. Elle finissait son repas par un thermos de thé chaud, abominablement sucré, et une petite pâtisserie dégoulinante de miel.

Parfois, nous faisions des échanges. Je lui apportais du chocolat, des triangles de fromage, des tranches de gâteau aux fruits et elle partageait avec moi les délices de sa serviette blanche. Ce n'était pas toujours de mon goût mais cela excitait joliment mes papilles. Je raffolais des petits carrés aux pistaches... par contre, le chausson sucré aux oignons et au poulet me jeta le cœur au bord des lèvres pour un après-midi entier.

Un jour, sans savoir que pour elle c'était chose interdite, j'apportai à Aïcha la moitié d'un sandwich au jambon. Elle me regarda d'un air paniqué, ouvrit la bouche pour s'expliquer... mais la tentation fut la plus forte. Fermant les yeux sur son péché, elle mordit dans le pain, dégustant pour la première et, sans doute, la dernière fois, la saveur fumée de la viande rose. Délectable secret, partagé avec un sourire complice.

Avec le retour du soleil, Aïcha se dégela. Elle aimait marcher dans la cour, sous les grands arbres. Pendue à mon bras, elle m'arrivait à peine en dessous de l'oreille. Elle me posait mille et une questions sur ma famille et sur la façon dont nous vivions, éprouvant pour moi une curiosité jumelle de la mienne pour elle.

Elle ne me parlait jamais des siens, mais me racontait volontiers son étonnant pays. Elle était intarissable comme l'oued de son village qui chantait et cascadait entre deux murailles ocres. Dans sa vallée verdoyante, les champs étaient bordés de haies de rosiers dont on récoltait les boutons pour faire de l'eau parfumée. Une fois, elle était allée jusqu'au grand Sahara. Elle s'étonnait encore de la qualité du silence, troublé seulement par le glissement du sable, et de l'infinie monotonie des dunes rousses qui bloquaient l'horizon. Ses yeux étincelaient lorsqu'elle parlait de Marrakech, la ville rose cuite au soleil, et de la grouillante animation de ses souks, enfermés dans un rempart. La bouche entrouverte, les yeux perdus, je rêvais à l'infini aux paysages qu'elle me dévoilait.

Mais d'Aïcha elle-même, je ne connaissais rien.

Elle me racontait les lieux qu'elle aimait passionnément, mais ne parlait jamais des gens qui les peuplaient. Ce silence abritait une étrange angoisse qu'il m'arrivait par moments de saisir, sans la comprendre. Aïcha soupirait souvent et son petit visage de princesse arabe devenait presque tragique.

Personne ne savait ce qu'elle faisait en dehors de l'école. Moi qui étais sa meilleure amie, j'ignorais jusqu'à son adresse. Lorsque la cloche sonnait la fin des cours, elle entassait ses cahiers dans sa sacoche et se faufilait pour sortir le plus vite possible. Un jeune homme brun l'attendait sur le trottoir d'en face. Le regard farouche, indifférent à tout le reste, il la regardait traverser la rue de son pas gracieux de gazelle. Sans un salut, il l'entraînait dans son sillage, vers une vieille voiture déglinguée qu'il garait en dépit du bon sens sur le passage clouté. Dès qu'il posait le regard sur elle, elle échappait à notre univers d'écolières et j'avais alors la triste impression de ne plus exister.

Un jour, elle finit par répondre à mes questions répétées au sujet du bel inconnu qui l'attendait à la sortie de l'école.

— C'est Aziz, mon frère. Chez nous, les filles ne peuvent pas circuler comme elles veulent... Tu ne peux pas comprendre. Ce serait trop long à t'expliquer.

L'année scolaire touchait à sa fin. Nos projets d'été se précisaient. Aïcha devenait nerveuse et ses yeux dorés ressemblaient de plus en plus à ceux d'une biche traquée. Je sentais qu'elle avait peur de quelque chose, mais elle refusait obstinément de me parler de ce qui la tracassait. Une semaine avant la fin des cours, je remarquai que le frère de mon amie n'était pas seul à l'attendre. Un homme plus âgé, que je pris tout d'abord pour son père, surveillait, lui aussi, la sortie de ma délicieuse compagne.

Lorsqu'elle le vit, Aïcha s'immobilisa sur le bord du trottoir. Elle fixa l'étranger d'un regard troublant qui me mit mal à l'aise... regard curieux de fille... regard de femme coquette... regard qui explore... regard qui interroge. Durant quelques secondes, toute l'intensité de son âme s'exprima par ses yeux. C'était tout ce qu'elle pouvait se permettre. C'était presque trop !

Moi, je n'y comprenais rien du tout.

C'est le lendemain de ce jour-là qu'Aïcha me dit adieu.

Les yeux pleins de larmes, elle me tendit la boîte noire que, chaque jour, j'avais caressée du regard.

— C'est pour toi, je te la donne.

— Mais pourquoi ? Tu vas en avoir besoin pour l'école, à la rentrée prochaine.

— Je ne reviendrai pas. L'école, c'est fini pour moi.

— Comment ça, fini ? T'es bien trop jeune pour cesser tes études.

— Je vais avoir quinze ans dans deux semaines et mon père a décidé de me marier le jour de mon anniversaire.

Je fus horrifiée.

Les jambes molles, je tombai assise sur les marches du préau, serrant la boîte noire contre mon cœur. Existait-il vraiment des pères qui donnaient leurs filles-enfants... et des hommes qui épousaient leur ignorance ? Ma petite princesse des sables pleurait en gémissant comme un animal blessé. Je l'entraînai au fond de la cour et, cachées derrière un platane, elle me raconta.

Ses parents avaient tout arrangé. Sa mère avait rencontré la mère de son futur époux aux bains turcs. Elles venaient de la même ville et se connaissaient depuis toujours. Elles avaient parlé de leurs enfants préférés: d'Aïcha-la-Belle, élevée dans la perfection des traditions séculaires, et d'Okacha-le-Sage qui avait étudié dans les meilleures écoles et qui possédait une quincaillerie prospère. Les négociations avaient été menées rondement. Les hommes des deux familles s'étaient rencontrés pour fixer le montant de la dot et les femmes avaient prévu dans les moindres détails le déroulement des noces. Après la cérémonie, la jeune épousée partirait en grandes pompes pour vivre dans la maison de son mari auquel elle devrait une obéissance absolue... à jamais perdue pour sa propre famille.

Tout avait été décidé sans que la principale intéressée en soit informée. Elle s'était bien doutée de quelque chose, mais elle ne connaissait la vérité que depuis quelques jours seulement. La veille, elle avait vu son futur époux pour la première fois. C'était lui qui l'attendait en compagnie de son frère, à la sortie de l'école.

Un vieux! D'au moins trente ans!

Indescriptible! Ce que je ressentis à ce moment-là est impossible à raconter. Colère, dégoût, frustration, horreur, révolte se bousculaient pour faire éclater ma poitrine, tandis que mon amie me racontait sa terrible histoire en tremblant.

Curieusement, au fur et à mesure qu'elle me parlait, son chagrin semblait s'apaiser. Elle sécha ses dernières larmes avec un coin de son haïk noir et me fit cette remarque qui me sidéra :

— Tu sais, j'ai quand même de la chance ! Okacha est riche. Je ne manquerai de rien et nous vivrons dans une belle maison. Et puis, c'est un homme doux, il ne me battra jamais. J'essayerai d'être une bonne épouse pour lui. Est-ce que tu l'as vu ? Moi je l'ai trouvé très beau.

Ses grands yeux devinrent rêveurs. Elle avait déjà accepté son destin, pressée de connaître les extases mystérieuses des amours adultes. Je réalisai soudain que cette fille miniature était une femme très désirable et j'en fus bouleversée de chagrin. Il y aurait eu tant à dire... et je ne savais par quel bout commencer.

Étais-je en mesure d'évaluer sainement cette situation qui me dépassait ?

Avais-je le droit de la juger ?

J'ai préféré me taire.

Nous n'avions jamais vécu dans le même monde.

J'avais à peine quitté le cocon de l'enfance et je n'étais pas si pressée que ça de grandir. De ses paumes teintes, Aïcha caressa mes joues mouillées. Ensuite, elle traversa la rue pour rejoindre son frère, sans un regard derrière elle. Je ne la revis plus jamais.

La boîte noire eut une curieuse influence sur ma vie. D'une certaine façon, mon amitié pour Aïcha y était enfouie. Pour moi, cette boîte symbolisait l'enfermement des femmes qui n'ont d'autre choix que l'obéissance et je pris brusquement conscience de la chance que j'avais. Personne ne pouvait m'empêcher d'étudier, de lire, de grandir, de voyager ou d'aimer comme je le voulais. Comme tout le monde, j'allais connaître certaines entraves mais ce n'était rien en comparaison de celles qu'Aïcha allait subir. Moi, j'avais le choix. En travaillant, je pourrais me construire... et devenir une femme libre ! Mes notes montèrent en flèche à partir de ce moment-là et je fus bien la seule à y trouver une certaine logique.

J'ai souvent pensé à ma petite voisine de classe. Seul le silence a répondu à mes questions. Je n'ai pas réussi à la faire vieillir alors que la poussière des voyages a imprimé des chemins sur mon front. Aïcha est à jamais inscrite dans le cahier de mes treize ans, lumineuse dans son haïk noir et son fichu à pompons, dans tout l'éclat de perle de son printemps.

Inch' Allah !

Table des chapitres

COLLECTION ÉCHOS

Lebugle, André
La chasse aux vampires
J'ai peur, moi?
Sélection Communication-Jeunesse 1995

Letarte, Andrée
Couleur caméléon

Mercille-Taillefer, Micheline
Charlie Bouton

Page, Marie
Le Gratte-mots
Prix Alfred-Desrochers 1993
L'Idole
Sélection Communication-Jeunesse 1995

Proulx, Luc
Le fugueur

Savage, Michel
Colomb d'outre-tombe

Sernine, Daniel
Les Portes mystérieuses
Sélection Communication-Jeunesse 1994
Ludovic
Finaliste prix du Conseil des Arts du Canada 1983, Sélection Communication-Jeunesse 1984
Le Cercle de Khaleb
Prix de la Science-Fiction et du Fantastique québécois 1992 et prix «12-17» 1992
L'Arc-en-cercle
Prix de la Science-Fiction et du Fantastique québécois 1995, finaliste prix «12-17» 1996 et finaliste prix du Gouverneur général 1996, Sélection Communication-Jeunesse 1996
Petites fugues en lettres mineures

Simard, Danielle
Un voyage de rêve
C'est pas tous les jours Noël
Finaliste prix «12-17» 1995 et sélection palmarès de la livromanie 95/96
La tête dans les nuages

Achevé d'imprimer en janvier 1999 sur les presses de
Payette & Simms inc. à Saint-Lambert (Québec)